PROPRIÉTÉ PRIVÉE

JULIA DECK

PROPRIÉTÉ PRIVÉE

LES ÉDITIONS DE MINUIT

2019/2021 by Les Éditions de Minuit
www.leseditionsdeminuit.fr

ISBN 978-2-7073-4722-0

1

J'ai pensé que ce serait une erreur de tuer le chat, en général et en particulier, quand tu m'as parlé de ton projet pour son cadavre. C'était avril déjà, six mois que nous avions emménagé. Les maisons neuves rutilaient sous le soleil mouillé, les panneaux solaires scintillaient sur les toits, et le gazon poussait dru des deux côtés de l'impasse. Tu m'avais accompagnée à l'extérieur pendant que je rempotais les soucis sous la fenêtre de la cuisine. Les feuilles s'ébattaient entre mes mains gantées, et parmi elles les bourgeons gonflés à bloc, prêts à éclater sous la puissance des fleurs.

Tu avais réfléchi à tous les détails pour occire le gros rouquin. Comme tu les exposais tranquillement, adossé à la porte d'entrée, j'ai continué de creuser la terre sans répondre. Sans doute ruminais-tu sous le coup de la colère, et tes mots n'auraient-ils pas plus de conséquence que lorsque tu t'emportes sur la cuisson de la viande ou l'accumulation de calcaire au bord de la douche. J'ai tassé la terre, étalé les racines au fond du trou. Je me suis dit que tu parlais par provocation. Que si tu avais la moindre intention de passer à l'acte, tu aurais insisté pour rentrer à l'abri des oreilles indiscrètes. Tu savais très bien qu'ici, rien ne demeurait caché. Oui, c'étaient des mots gratuits pour semer le doute, agiter l'air.

Plus tard, quand nous sommes allés nous coucher, j'ai tout de même repensé à ton idée de tuer le chat. Je me suis demandé si je serais capable de sortir la voiture du parking de l'Intermarché et de rouler jusqu'à la zone artisanale pour acheter du produit antinuisible. De me garer au sous-sol de Leroy-Merlin, consciente que j'avais en tête un meurtre, pire, un assassinat. De prendre l'escalator vers le premier étage, d'interroger habilement le vendeur afin de sélectionner le produit le plus adapté à notre projet, comme s'il s'agissait de vulgaires chaussettes au Monoprix. Je me suis demandé à quel instant le meurtrier en puissance se transforme en assassin effectif, et si j'aurais le courage de traverser la frontière.

Le plus simple aurait été que tu y ailles toi-même.

Que tu prennes la voiture et que tu te débrouilles avec ton foutu plan pour tuer le chat. Mais tu n'avais pas conduit depuis des années. Tu n'allais certainement pas t'y remettre pour l'occasion.

Dans le noir, je me suis vue verser le poison, le mélanger aux boulettes de bœuf. Déposer la gamelle devant la porte du jardin. Attendre l'heure du gros rouquin. J'ai senti sa fourrure contre mes bras nus lorsque je le soulèverais après qu'il aurait mangé. Je me suis vue le descendre à la cave afin qu'il y agonise discrètement, puis faire ce que tu avais prévu avec son cadavre. Parce qu'il ne s'agissait pas seulement de tuer le chat. Il s'agissait de signer notre triomphe, notre accession à la propriété privée.

2

D'abord je ne m'étais pas inquiétée que tu ne prennes plus la voiture. Elle dormait au sous-sol de notre ancien immeuble. On n'en avait pas besoin pour se déplacer dans Paris. Puis j'ai compris que ce n'était pas seulement affaire de commodité. C'était que tu n'avais plus l'intention, ni maintenant ni jamais, de te rasseoir derrière le volant.

Quant aux transports en commun, il ne fallait pas y songer. Tu avais commencé par éviter les longs trajets en métro, prétextant que c'était objectivement pénible de changer à Châtelet ou Montparnasse. Après quoi tu avais fait une croix sur le souterrain dans son ensemble. Tu avais lu un article démontrant que l'air y était plus pollué que sur le périphérique. Tu n'allais pas t'asphyxier volontairement. Quand j'objectais que ça n'allait pas nous simplifier la vie, tu courais chercher l'article dans ton bureau, et tu me le collais sous les yeux alors que j'épluchais les légumes ou que je remplissais le lave-vaisselle. Ensuite c'étaient les bus qui avaient posé problème. Chaque mercredi, pour aller à ton rendez-vous avec Serrier, l'expédition se transformait en long calvaire. Il te fallait des heures de préparation psychologique, puis les bus étaient toujours lents, bondés de gens remarquablement inventifs dans le registre des incivilités. Bref, c'était tout vu, tu te limiterais à notre pâté de maisons, et tu prendrais un taxi en cas d'extrême nécessité. Notre appartement était spacieux et confortable, traversant est-ouest et bien chauffé. Nous possédions une belle bibliothèque. On pouvait très bien y passer sa vie sans s'ennuyer. Il y avait même une salle de sport en bas de l'immeuble. Tu t'y rendais chaque matin pour entretenir ton cœur et ton allure, afin que je ne devienne pas une épouse acariâtre ou une veuve prématurée. Le compromis semblait acceptable. Je n'ai plus discuté.

Mais après quelques années de ce régime, nous avons quand même résolu de déménager. Mes plantations poussaient à l'étroit sur le balcon. Les jasmins débordaient de leurs pots.

Les rosiers réclamaient vigoureusement la pleine terre qui leur permettrait de donner la mesure de leur branchage. De toute façon, il était grand temps de devenir propriétaires. Je travaillais sur le réaménagement urbain. Je croyais à l'expansion de la ville hors de ses frontières, au mieux-être de tous dans des zones verdoyantes de moindre densité. On s'éloignerait du bruit, de la pollution. Dans notre jardin, nous ne craindrions plus d'inspirer l'air à pleins poumons.

Soucieux de notre empreinte environnementale, nous voulions une construction peu énergivore, bâtie en beaux matériaux durables. Nous avons vite trouvé notre bonheur. Aux confins de la ville se tramaient des écoquartiers. Après quelques trajets en taxi, notre choix s'est arrêté sur une petite commune en plein essor. Elle était desservie par le RER, et les promoteurs nous faisaient miroiter l'extension à brève échéance du métro parisien. Nous étions sûrs de réaliser un bon investissement.

Le projet sur lequel nous nous sommes fixés était le plus beau et le plus cher de tous. Il consistait à transformer d'anciens entrepôts en allée résidentielle pour ménages aisés. Grâce à un système de récupération de chaleur couplé à des panneaux solaires, la parcelle serait entièrement autonome en énergie. Le recyclage des ordures se ferait par des bornes en surface qui les dirigeraient automatiquement, via un réseau enterré, vers la déchetterie. Les produits organiques iraient dans un bac de compostage situé au bout de l'impasse. Ainsi pourrait-on cultiver un potager dans chaque jardin.

L'allée a mis deux ans à sortir de terre. Au cours de cette période, nous avons rêvé sur les plans des architectes. Quatre maisons mitoyennes, identiques de la toiture aux fondations, bordaient chaque côté de la voie. Au rez-de-chaussée, on pénétrait dans une grande cuisine ouverte sur le salon. De l'autre côté se trouvait un jardin enclos par des buis, sur lequel donnait également une pièce plus petite, où tu installerais ton bureau. J'aurais le mien à l'étage, entre la salle de bains et la chambre, dotée d'un balcon sur l'avant.

Plusieurs mois avant de déménager, nous avons mesuré nos meubles et découpé des bouts de papier pour les représenter à l'échelle. Après le dîner, nous déroulions les plans sur la table, et nous jouions à déplacer la bibliothèque, le canapé, à la recherche des emplacements les plus astucieux. Dans les grands magasins, j'admirais l'infinité de rangements disponibles pour les intérieurs amoureusement aménagés. Nous nous couchions le sourire aux lèvres, imaginant le plaisir que nous aurions à prendre possession des lieux, la jubilation qui couronnerait nos choix avisés.

3

Ils sont arrivés une semaine après nous. Le camion a ronronné sous la fenêtre de notre chambre. On a coupé le moteur. Des pas ont raclé le gravier. Une clé a fouillé notre serrure. J'ai enfilé mes pantoufles pour sortir sur le balcon. Le froid piquait comme chaque novembre. Penchée sur la rambarde, je leur ai crié qu'ils se trompaient de porte et je suis retournée me mettre au chaud.

Toute la matinée, ils ont transbordé des montagnes de cartons. La maison mitoyenne s'emplissait d'une infinité de choses à côté de quoi la nôtre semblait renfermer une vie bien minuscule. C'était l'impression que j'avais eue en déballant nos affaires. Trente ans de vie commune résumés en quelques milliers de livres, les meubles indispensables et très peu d'objets. Nous n'étions pas attachés aux objets. Nous pensions qu'ils obstruaient l'air, limitaient la circulation de la pensée. Mais ce jour-là, alors que je finissais de ranger la vaisselle dans les placards de la cuisine, leur absence m'a soudain vrillé le cœur. Entre les chutes de plastique à bulles et les morceaux de scotch, je me suis mise à pleurer. C'était plus fort que moi, je n'y pouvais rien. Je me suis efforcée de faire le moins de bruit possible, reniflant en silence. Mais tu m'as entendue malgré toutes ces précautions, et tu as déboulé dans la cuisine pour me mettre les points sur les i. Voilà deux ans que nous avions fait un choix mûrement pesé, parfaitement rationnel. Mon attitude était inconséquente. Nous méprisions le sentimentalisme et les émotions exacerbées. Je finissais de sécher mes larmes quand on a toqué à la porte.

Tout l'électroménager avait été livré. L'électricité et l'internet fonctionnaient parfaitement. On ne voyait pas qui ça pouvait être. Tu m'as regardée avec insistance. J'ai compris qu'il ne fallait pas compter sur toi pour ouvrir. J'y suis allée.

Une brune gracile en justaucorps et fuseaux noirs se tenait sur le seuil, un bambin juché sur la hanche. Elle me tendait un biberon.

– Micro-ondes, a-t-elle commandé. Trente secondes, pas une de plus.

J'ai pris le biberon comme on accepte les tracts à la sortie du métro, quand le geste est trop catégorique pour vous laisser la possibilité de refuser. La brune m'a emboîté le pas vers la cuisine.

Tu avais foutu le camp, mais je t'entendais marcher dans ton bureau, à l'affût du moment où elle s'en irait. Je me suis avancée vers le micro-ondes. J'ai cherché où brancher l'appareil, mais toutes les prises avaient disparu. Je ne retrouvais rien dans ma cuisine, alors qu'une semaine plus tôt j'en maîtrisais le territoire les yeux fermés. Les larmes sont remontées.

— Ça n'a pas l'air d'aller, a gloussé la brune.

Tu as aussitôt reparu.

— Charles Caradec, enchanté. Ne faites pas attention à ma femme, elle est un peu sonnée.

La brune a gloussé de nouveau mais plus nerveusement. C'est l'effet que tu fais aux jeunes femmes impressionnables.

— Annabelle Lecoq, a-t-elle bredouillé en extirpant sa menotte de la poignée virile dont tu la gratifiais.

Puis elle s'est tournée vers moi pour me réclamer un café.

— Ici, c'est moi qui fais le café, as-tu déclaré avant de prendre les choses en main.

Négligeant les tasses que je venais de déballer, tu as fait couler un expresso dans un gobelet en plastique que nous recyclions depuis huit jours.

Après quoi tu l'as escortée vers la sortie, elle, son fils et son biberon que tu avais réussi à faire réchauffer en trente secondes, pas une de plus.

– Quelle conne, j'espère qu'on ne va pas trop l'entendre avec son gosse, as-tu conclu en refermant la porte.

Nous avons éclaté de rire. C'était la première fois que la tension se relâchait depuis les heures irréelles du déménagement, les tournicotages incessants à la recherche du meilleur endroit pour telle lampe ou tel guéridon, qu'il faudrait ensuite déplacer de nouveau car c'était bien sûr trop tôt, beaucoup trop tôt pour savoir comment vivre dans cette maison.

Main dans la main, nous sommes allés admirer notre jardin. Ce n'était pour l'heure qu'un long rectangle herbeux. Mais au bout s'étendait une parcelle inconstructible, si bien qu'on voyait le ciel, de longues effilochures jaune pâle à travers la grisaille de novembre.

C'est là que nous avons aperçu le gros rouquin. Il venait de franchir la haie qui nous séparait du jardin mitoyen. D'abord il s'est contenté de raser le sol, flairant l'herbe, nous observant l'observer de biais. J'ai ouvert la porte-fenêtre et je me suis accroupie pour l'appeler avec des petits bruits de langue. Il s'est approché avec méfiance, puis il a fini par venir se frotter à mes jambes tandis que je lui chatouillais le cou. Le

17

gros rouquin a pris ça comme une invitation à visiter la maison. Tu as aussitôt objecté. Tu as déclaré que s'il entrait une fois, il serait là toujours, et que si je n'y trouvais encore rien à redire, je n'allais pas tarder à voir ce que j'allais voir. J'ai continué à lui gratter le ventre. Je n'avais que faire de tes prédictions.

4

Notre maison était la première de l'allée côté impair. En face vivaient les Taupin, un couple de quadras avec deux adolescents. On se croisait tous les jours en sortant la poubelle ou sur le chemin du RER. On échangeait quelques paroles amicales. On se réjouissait de posséder de belles maisons. Cécile m'avait spontanément tutoyée. Elle m'avait tout de suite plu. Elle était un peu plus jeune que moi, sans prétention, futée. Nous étions convenues de prendre le café chez elle à la première occasion.

J'y suis allée un dimanche après-midi, pendant que tu faisais la sieste. Quand je suis arrivée, Patrick achevait de poser la cuisine. J'ai admiré les ajustements au millimètre, le bois massif délicatement huilé. Nous avions fait poser la nôtre par un professionnel, suivant les conseils du vendeur pour le choix des meubles et l'implantation. J'avais protesté quand il nous avait présenté le devis – quatorze mille euros sans l'électroménager – mais il avait ajouté qu'il nous offrait un grille-pain multifonction. Tu avais argué qu'on n'achetait pas tous les jours une cuisine sur mesure, on n'allait pas chipoter pour une fois qu'on se faisait plaisir. J'avais signé le devis.

Cécile a sorti du four une tarte aux poires. Elle s'est excusée avec un sourire gêné. Oui, le week-end elle faisait un peu de pâtisserie. Avec les enfants, elle avait pris cette habitude. Je me suis assise sur un tabouret de bar et j'ai attendu qu'elle coupe la tarte. Je cherchais une phrase agréable, mais tous les mots me paraissaient inadéquats. J'avais si peu l'habitude qu'on m'offre de la tarte, je n'arrivais pas à savoir si cette attention me faisait plaisir. Cécile m'a demandé si je travaillais. Je l'ai observée avec inquiétude. Elle s'est aussitôt reprise :

– Le week-end, je voulais savoir si tu bossais aussi le week-end.

– Je travaille tous les jours et tous les soirs, ai-je répliqué dans un sourire, et j'ai mordu la pâte.

Il fallait admettre que c'était bon. Tu ne préparais jamais de dessert. À t'entendre, les douceurs ramollissaient l'esprit, et j'avais dû me laisser convaincre, ou j'avais simplement oublié le goût du sucre.

– C'est important de s'investir, a commenté Cécile avec nostalgie.

Puis elle m'a raconté comment elle était passée aux quatre cinquièmes après la naissance de son deuxième enfant – Apolline, treize ans déjà – et comment, depuis qu'elle ne travaillait plus le mercredi, ses collègues ignoraient systématiquement ses remarques lorsqu'elle prenait la parole en réunion. Je l'ai écoutée en finissant ma part de tarte. Je connaissais ces discours et ces revendications. Je les lisais dans le journal. J'ai observé Cécile, sa tarte, son chemisier maculé de petites traces de beurre. Elle était gaie. Je me suis demandé si j'aurais été heureuse dans son chemisier, aussi heureuse qu'elle le paraissait malgré les taches.

En partant, j'ai dit que, la prochaine fois, on se verrait chez nous. Nous possédions une belle cave. On déboucherait une bonne bouteille pour l'occasion. C'était une invitation parisienne, sincère sur le moment mais formulée hors de toute temporalité, ainsi l'interlocuteur devine qu'elle ne se réalisera jamais. Mais Cécile venait de Seine-et-Marne. Une invitation était une invitation. Elle m'a répondu qu'ils étaient disponibles le samedi

21

en quinze. J'avais deux semaines pour te faire accepter l'idée.

Comme Cécile me raccompagnait sur le pas de la porte, je me suis réjouie une fois de plus que le gazon pousse aussi bien. Les premiers jours, nous prenions mille précautions pour ne pas l'endommager. Mais rien ne semblait entamer sa résistance, et nous ne nous gênions plus pour fouler l'étendue vert électrique où s'accrochaient les gouttes de pluie et les araignées.

5

Il lavait la voiture. C'était un modèle coûteux et sans singularité. Ils étaient parfaitement assortis. Je l'ai salué poliment. Il a répondu :

– Arnaud Lecoq, je crois que vous avez déjà fait la connaissance de mon épouse.

Et il s'est remis à briquer le véhicule. Les maisons de l'allée ne possédaient pas de garage afin d'encourager les circulations douces. Nous avions laissé la nôtre au parking de l'Intermarché. Je me suis demandé un instant pourquoi Lecoq avait garé la sienne devant chez nous, mais il y avait sans doute une bonne raison. Arnaud semblait aimable, après tout. J'ai pensé que j'avais mal interprété l'attitude de sa femme. Nous étions parties sur de mauvaises bases. Tout serait bientôt rectifié.

Je me suis dirigée vers le magasin. À Paris, nous vivions entourés d'enseignes concurrentes, et nous n'avions pas de mots assez durs pour condamner l'invasion des villes par la grande distribution. C'était bien de ne plus avoir le choix. Enfin nous nous contenterions de l'essentiel.

Un vieil homme vendait du houx devant les portes automatiques du supermarché. Je lui ai promis que oui, en sortant. Les rayons débutaient par les habituels étalages de fruits et légumes. J'ai soupesé une orange, l'ai jugée molle, une tomate que j'ai aussitôt reposée. On se trouvait ensuite face aux laitages. Il y avait le minimum, et je m'en suis voulu de cette réflexion, car il y avait évidemment bien plus que cela, des dizaines de variétés de desserts parfumés à tous les arômes imaginables. Mais il n'y avait pas tes yaourts au lait de brebis.

J'ai avancé, pensant prendre un poulet. C'était facile, tu n'aurais qu'à le mettre au four en rentrant de ton rendez-vous avec Serrier. Bien sûr, je proposerais de t'aider. Mais tu répondrais qu'on n'est jamais si bien servi que par soi-même et que, de toute façon, je n'avais aucun sens de la cuisson. Alors je me servirais un verre de vin et je mettrais le nez dans l'ordinateur jusqu'à ce que tu me dises de venir à table.

Le choix de poulets était beaucoup plus restreint qu'en ville. Ils reposaient sur des polystyrènes azur, à mi-hauteur de la vitrine réfrigérée, et j'ai cherché en vain les labels rouges, les étiquettes rassurantes quant à la nourriture ingurgitée de leur vivant par ces poulets.

– Vous avez besoin de lunettes, a gloussé dans mon dos une voix flûtée.

Je l'ai aussitôt reconnue, avec son carré plongeant et ses grands yeux obliques qui fouillaient les miens à la recherche de quelque chose dont se moquer.

– Mes poulets, ai-je bredouillé, je ne retrouve pas mes poulets.

Annabelle a tendu la main pour saisir le plus gros volatile de l'étalage et l'enfouir dans son chariot. Puis elle a tourné les talons en chantonnant :

– À bientôt.

J'ai renoncé au poulet. J'ai acheté du poisson pané, priant pour que tu sois déjà parti à ton rendez-vous afin de m'épargner tes points de vue sur la surgélation, et j'ai filé devant le vendeur de houx sans honorer ma promesse.

Histoire de perdre un peu de temps, j'ai marché jusqu'à la pharmacie. La plupart des commerces s'étaient rassemblés près de la gare de RER. Sur le chemin, les immeubles en brique alternaient avec les maisons d'un ou deux étages, les chantiers de construction. Des papiers d'emballage voletaient sur la chaussée. Un matelas prenait l'eau au bord du trottoir. Je me suis rappelé qu'au-delà de l'autoroute s'élevaient de grands ensembles où les locataires étaient souvent moins soucieux d'écologie que les propriétaires.

Devant le Voltigeur, un bar-tabac situé en face du RER, je suis tombée sur Patrick Taupin. Il achetait du tabac à rouler – sans additifs de synthèse, m'a-t-il aussitôt précisé. De crainte qu'il me propose de faire route commune, je me suis hâtée de lui dire au revoir pour m'engouffrer dans la pharmacie. Mais à peine entrée, j'ai aperçu Aude Lemoine qui faisait la queue. Elle et sa famille venaient d'emménager au fond de l'impasse. Nous avions échangé quelques mots à propos du compost, qu'il faudrait entretenir avec méthode pour ne pas être envahis par les moucherons et les asticots.

J'ai fait semblant de m'intéresser aux produits d'hygiène pour bébés en épiant d'un côté Patrick par la vitrine, de l'autre la progression d'Aude vers le comptoir. Quand son tour est venu, je suis ressortie de la pharmacie et j'ai marché le plus lentement possible pour ne pas rattraper Patrick. Le colin décongelait placidement dans mon sac à provisions. Moi j'avais froid.

La voiture des Lecoq luisait sous le soleil de fin d'après-midi, toujours garée devant chez nous. Notre boîte aux lettres était pleine. J'ai fait quelques pas sur l'herbe pour prendre le courrier. La pelouse s'est mécaniquement redressée derrière moi. Elle pointait droit comme des épines, et je l'ai foulée une fois de plus pour vérifier qu'elle était vraie, tant elle paraissait surnaturellement dense et drue.

On avait fourré dans notre boîte un tas de brochures promotionnelles. Toutes les grandes surfaces de la zone artisanale semblaient s'être passé le mot concernant notre installation dans le secteur. J'ai récupéré la masse de prospectus en fouillant mon sac à la recherche de mes clés.

Cette fois, elle a surgi de la fenêtre.

– Vous avez fini par retrouver vos poulets ? a gloussé Annabelle de sa cuisine.

J'allais prendre sèchement congé quand elle a ajouté :

– Au fait, je n'ai toujours pas remis la main sur notre paillasson, alors en attendant j'utilise le vôtre, n'est-ce pas.

Les mots m'ont encore échappé. Depuis l'emménagement, ils me fuyaient sans cesse, et je me trouvais de plus en plus démunie face aux situations nouvelles. Les publicités dansaient dans ma main tremblante quand j'ai introduit la clé dans la serrure.

Tu m'avais laissé un mot sur le comptoir de la cuisine pour me dire de ne pas commencer à préparer le repas. Tu passerais chez notre ancien boucher sur le chemin du retour, tu t'occupais de tout. Les larmes sont montées. Une minute plus tard, je sanglotais de gratitude, remerciant le ciel de m'avoir octroyé le meilleur mari qu'une femme ait jamais eu. J'ai pleuré longtemps. Au bout d'un moment, je ne savais même plus pourquoi je pleurais. J'ai observé notre salon, le parquet massif, les murs blanc neige, la baie vitrée donnant sur le jardin bordé de buis odorants. Nous n'avions jamais vu autant de ciel depuis notre salon. J'ai pensé qu'il y avait matière à être heureux, aucune raison de ne pas l'être. Je me suis servi un verre de vin et je suis montée à mon bureau.

On avançait sur le projet de la place des Fêtes, Paris 19e. J'étais fébrile. C'est ma proposition qui avait été retenue. D'abord j'avais dû la vendre en interne à l'agence, puis nous avions remporté l'appel d'offres en association avec un bureau d'urbanisme aux Pays-Bas. La Ville nous laissait carte blanche à condition de rester dans le budget. Bien sûr, il faudrait prendre garde à ne mécontenter ni les riverains ni les commerçants, ou du moins à redresser la barre avant les municipales. Mais Benoît Klincksieck, adjoint au maire chargé de l'urbanisme, nous savait capables d'implémenter des solutions efficientes, ainsi qu'il le répétait à chaque réunion pour se laver les mains de tout problème.

Plongée dans un rapport d'études, je t'ai à

peine entendu rentrer. De la cuisine, tu m'as crié que tu avais pris des côtelettes d'agneau. J'ai levé le nez de l'écran :

– Qu'est-ce qui ne va pas ?

– Rien, pourquoi ?

– Si, ai-je insisté. Gagnons du temps, explique-moi ce qui ne va pas.

J'ignore pourquoi j'ai dit ça. Je sais parfaitement que ça ne sert à rien. Car tu ne cherchais pas à gagner du temps. Tu cherchais à en perdre un maximum. Je suis descendue te rejoindre à la cuisine. Tu faisais mine de ne pas retrouver les ustensiles que tu avais toi-même rangés selon un ordre implacable, ouvrant les tiroirs avec fracas, claquant les portes des meubles. J'ai jeté un coup d'œil autour de moi. Tu venais de poser la marmite en fonte sur la plaque à induction. Je l'ai saisie en te regardant droit dans les yeux et je l'ai laissée tomber sur le carrelage, où elle a éclaté en morceaux.

– J'ai du travail. J'ai besoin de me concentrer, et toi tu achètes des côtelettes d'agneau alors que tu sais très bien que j'ai horreur de ça. Mais comment crois-tu qu'on va payer cette maison si je ne peux pas travailler ?

Puis j'ai envoyé valser mes chaussures et je me suis mise à piétiner les éclats. Tu as aussitôt enclenché la marche arrière. Tu m'as enjoint d'arrêter, par pitié, tu ne supportes pas les blessures. Mais je prenais plaisir à sentir les gros bouts de fonte m'entailler la plante des pieds. J'avais envie d'avoir mal. Ainsi, je saurais pourquoi je souffrais. Comme je gigotais de plus belle sur les débris, tu m'as écartée de ton chemin. J'ai heurté la porte du frigo, et tu t'es précipité vers le meuble sous l'évier pour en extraire la pelle et la balayette.

On a sonné à la porte.

– N'y va pas, as-tu glapi, et il y avait dans ta voix comme une supplication.

Or toutes nos fenêtres étaient éclairées. De quoi aurions-nous l'air si nous ne répondions pas ? Je me suis essuyé les pieds sur un torchon et j'ai ouvert.

Annabelle portait son fils sur la hanche et toujours son air sournois. Elle a demandé si tout allait bien. Mais elle ne souhaitait pas réellement que tout aille bien. Elle souhaitait que nous fassions moins de bruit afin d'endormir le petit, par les fenêtres ouvertes tout s'entendait. J'ai regardé l'enfant silencieux, ses yeux plombés de sommeil. Elle continuait de m'observer en souriant. Car Annabelle ne souhaitait pas réellement que nous fassions moins de bruit. Elle souhaitait rassasier je ne sais quoi, une pulsion, un instinct qui depuis la première seconde a voulu faire couler le sang. Aussi est-il faux de prétendre – parfaitement injuste de nous montrer du doigt.

6

Je t'avais offert les soucis pour ton cinquan-
tième anniversaire. Tu avais déjà tenté de les faire
crever deux fois. L'été précédent, tu les avais
laissés se pétrifier sous le soleil quand j'étais à
Rotterdam, puis à nouveau quelques mois plus
tard quand j'y suis retournée, et par deux fois je
les avais sauvés de justesse. J'avais coupé les tiges
mortes, les bourgeons flétris, écarté les feuilles
grises pour ranimer le peu de sève qui circulait
encore dans la plante. Grâce à mes soins attentifs,
elle avait repris des forces, et les soucis avaient de
nouveau éclaté dans un flamboiement orange.

Les plantes n'aiment pas déménager. Depuis
notre installation, les jasmins et les rosiers fai-

saient grise mine. Seuls les soucis prospéraient allègrement. J'avais placé leur bac sur le rebord de la cuisine. Ainsi, je pensais à les arroser chaque fois que je descendais de mon bureau pour faire du thé ou me servir un verre de vin.

De ce poste, on apercevait toute l'allée. Après nous, côté impair, venaient les Lecoq puis les Benani, enfin les Lemoine. C'était un couple de kinésithérapeutes doté de deux adolescentes, l'aînée extrêmement grande et belle, la cadette extraordinairement revêche. Cette dernière semblait avoir fait affaire avec la petite Benani, jeune fille indolente et malléable, car toutes deux conspiraient sans cesse en divers points de l'allée, et notamment au passage de Tom, le fils des Taupin, qui les ignorait ostensiblement au profit de la grande et belle Lemoine.

Côté pair, on trouvait Cécile et Patrick, ensuite une maison qui n'était pas encore habitée. On y achevait quelques travaux supplémentaires parce qu'elle était destinée à accueillir un ménage spécialement nombreux, et il avait fallu multiplier les cloisons afin de créer des chambres pour tout le monde. Puis c'était Romuald et Romaric, un couple entre deux âges propriétaire d'un fox-terrier qui, pour ta plus grande joie, aboyait après le chat des Lecoq dès qu'il l'apercevait. Les Bohat vivaient tout au bout. Retraités du ministère de la Défense, ils paraissaient s'excuser chaque fois qu'ils mettaient le nez dehors, en général pour se rendre à l'Intermarché.

Globalement, on était satisfaits. On n'avait jamais eu autant de place pour soi et sa famille. Et puis les maisons étaient belles. Dans celles des personnalités les plus artistes, on aurait pu réaliser des shootings pour des magazines de décoration, insistait Romuald. Annabelle opinait en gloussant. Cécile Taupin et Malika Benani n'y voyaient pas d'inconvénient, mais elles avaient, pour leur part, peu de temps à consacrer à ce sport. Les Bohat et les Lemoine demeuraient discrets sur ce sujet comme sur le reste. Ils prisaient peu les conciliabules au milieu de l'allée.

Un sujet mobilisait cependant le voisinage. Des échangeurs thermiques étaient enterrés sous la chaussée. Ils permettaient de récupérer la chaleur des eaux usées et fournissaient, en complément des panneaux solaires sur les toits, chauffage et eau chaude sanitaire. C'était moderne et moral. Nous avions approuvé ce dispositif avec enthousiasme.

Or le système ne faisait pas encore ses preuves. Sans cesse les échangeurs tombaient en panne, ou c'étaient les panneaux solaires qui ne donnaient rien. La tension montait parmi les riverains, il devenait urgent de trouver une solution. Jour après jour, les entrepreneurs venaient inspecter les locaux techniques situés au bout de l'allée. Les experts scrutaient les tuyaux en se grattant la tête, multipliaient les théories. De nombreux sous-traitants étaient en cause. C'était difficile d'y voir clair, et tous finissaient par considérer le dispositif qu'ils avaient eux-mêmes installé comme s'il s'était introduit sous la chaussée par l'intervention d'une puissance occulte.

En attendant, on prenait des douches froides. C'était particulièrement désagréable dans les aubes de décembre, quand je devais me rendre à la direction de l'urbanisme. Tous les lundis, nous faisions un point avec Benoît Klincksieck, qui lui-même rendait des comptes en haut lieu, ainsi qu'il le rappelait à chaque briefing. C'était un grand homme mince, vêtu avec correction. Il se révélait suffisamment éclairé pour évaluer l'impact des projets qu'on lui soumettait, et suffisamment avisé pour ne pas fourrer son nez dans les détails une fois les chantiers lancés. J'appréciais de travailler avec lui. Mais j'aimais encore plus travailler avec Bogaert.

C'est lui qui nous avait permis d'emporter la mise. Nicolaes Bogaert avait réhabilité d'anciens terminaux portuaires en logements sociaux, inventé des lieux d'artistes dans des gares ou des usines désaffectées, corrigé la scénographie tragique de friches industrielles pour permettre au public de se les approprier. De Londres à Berlin, toutes les grandes municipalités se l'arrachaient.

Moi, je le connaissais depuis longtemps. Je ne lui avais jamais rien demandé, sauf quand j'avais eu besoin de lui, parce que je croyais au projet de la place des Fêtes et que je n'avais pas les moyens, seule, de le porter.

Il avait suffi d'inscrire son nom sur l'appel d'offres pour se retrouver en haut de la pile. Après quoi ce n'était plus que formalités. Bogaert venait rarement aux réunions. Il était sans cesse en déplacement, des armadas d'assistants sur ses talons pour suivre les projets. Mais il passait ses week-ends en famille à Rotterdam, et j'arrivais parfois à le convaincre de sauter dans le Thalys le lundi matin pour venir saluer Benoît Klincksieck. Son charisme ne manquait pas d'aplanir les difficultés. Ensuite on allait à son pied-à-terre de Gambetta, tout près du cimetière du Père-Lachaise. C'était plus calme pour travailler. Puis Bogaert reprenait le Thalys, et je rentrais un peu plus tard ces lundis-là.

7

Dès que j'ai franchi la porte, j'ai senti que quelque chose ne tournait pas rond. Sans doute avais-tu bu trop de café. Tu tournais sur toi-même, grommelant des paroles incohérentes. J'ai pensé : Oh non, pas maintenant.

Tout semblait pourtant en ordre autour de toi. J'ai cavalé à l'étage afin d'inspecter la chambre, et par acquit de conscience j'ai aussi jeté un œil au fond du placard avant de redescendre quatre à quatre à la cuisine. C'est là que j'ai compris. Tu avais laissé ton ordinateur allumé sur le comptoir. L'écran clignotait bizarrement, une succession de flashs de très mauvais augure. Mon regard s'est porté sur le clavier. Une flaque brunâtre s'infiltrait entre les touches. J'ai vu la tasse renversée, le café coulant au pied du bar.

Or tu ne renverses jamais rien. C'est moi qui m'en charge, par volonté ou par accident. Je suis revenue dans le salon où tu tournais toujours. J'ai dit que ce n'était pas grave, de toute façon tu faisais toujours des sauvegardes de ton travail, et puis je me rendrais chez le réparateur dès que possible, tout de suite s'il le fallait. Mais tu continuais à tourner comme un derviche. Je cherchais désespérément le moyen de t'arrêter quand j'ai aperçu le chat sous un fauteuil.

– Je t'avais dit de ne pas le laisser entrer, as-tu gémi.

Mais je ne l'avais pas laissé entrer. Il était passé par je ne sais où quand nous regardions ailleurs, je te l'ai répété en pure perte en ouvrant à l'animal. Il a filé dans le jardin, et j'ai appelé Serrier.

Il était tard. Elle m'a dit de te mettre dans un taxi le lendemain matin. D'ici-là, je n'avais qu'à faire ce que je savais. Je me suis précipitée à l'étage. Dans l'armoire à pharmacie, j'ai pris deux comprimés que j'ai écrasés au fond d'un verre avec le manche d'une brosse à dents. J'ai touillé à toute vitesse et je suis redescendue pour te tendre le verre. Tu as bu sans protester, attendant que la nuit se fasse.

Après quoi je suis remontée à la salle de bains. Assise au bord de la baignoire, j'ai hurlé. J'ai crié pour épuiser mes nerfs, vider ma poitrine de toute la pelote amassée depuis le déménagement. Puis j'ai écouté ma respiration. Je me suis répété : tout va bien, c'est juste un mauvais moment à passer, on va finir par s'habituer à cette maison.

C'est là que j'ai entendu un gloussement. D'abord j'ai cru que je l'avais inventé, une réminiscence infernale venue me hanter pour me punir de je ne sais quoi, de faillir, de n'être jamais sûre. Un second rire très net s'est fait entendre. J'ai regardé autour de moi. Il n'y avait personne d'autre dans la pièce. Mais la lucarne était demeurée entrouverte, à quelques mètres de la salle de bains mitoyenne. Mon cœur s'est rétracté d'horreur. J'ai compris que je n'avais plus le droit de crier, qu'il faudrait ravaler ma rage jusque dans notre abri le plus intime, parce que rien de ce qui se déroulerait ici ne demeurerait caché. Surtout j'ai compris que j'allais mordre la poussière.

8

Tu voyais Serrier depuis vingt-sept ans. Vous aviez avancé ensemble. Sa pratique s'était affinée à mesure qu'évoluaient tes diagnostics. Il y a longtemps qu'elle avait renoncé aux termes de maniaco-dépression, de névrose obsessionnelle. Te concernant, elle s'était fixée sur celui de troubles compulsifs. L'expression paraissait désigner une pathologie moins dramatique et nous convenait à tous les trois. Nous étions lassés du romantisme échevelé de tes premières évaluations.

Au-delà des termes, je n'observais guère de progrès notable. Nous nous étions simplement ajustés à tes manies. Elles n'auguraient plus de cataclysmes, et l'on se contentait maintenant d'observer l'orage. De temps à autre, tu mettais fin à ton arrêt maladie pour recommencer les cours à mi-temps, voire à temps plein selon ton degré d'exaltation, mais sans plus rêver que cette fois c'était bon, que tu étais sorti de l'ornière et que tu reprendrais sans faillir le cours d'une vie normale. Nous vivions dans l'attente que tu flanches à nouveau. Et, lorsque cela se produisait invariablement, je téléphonais à Serrier, qui prenait les mesures nécessaires.

Je ne l'avais jamais rencontrée. Depuis vingt-sept ans, il y avait dans ta vie cette autre femme que je n'avais jamais vue. Au début, j'avais cherché à savoir à quoi elle ressemblait. Mais tes comptes rendus manquaient de cohérence, j'avais renoncé à me faire un portrait. J'aimais l'idée de cette inconnue vivant à nos côtés. Je lui savais gré de sa présence invisible, persuadée que sans elle je n'aurais pas tenu, et que la séparation m'aurait précipitée en un rien de temps dans le gouffre où tu plongeais sans cesse pour en sortir et mieux y retomber.

Cet automne-là, tu es revenu de ton rendez-vous avec une nouvelle ordonnance. Serrier t'avait prescrit une molécule qui venait d'être mise sur le marché. Elle fondait de grands espoirs sur ce médicament. J'ai rapporté le produit de la pharmacie du centre-ville, et tu es monté dans la chambre, où tu as dormi pendant deux jours.

Assise à mon bureau, j'écoutais ton souffle dans la pièce à côté. Quand il s'altérait, je venais vérifier que tout allait bien, te proposer une tartine, un bol de soupe. J'attendrais que tu ailles mieux pour faire un saut à Rotterdam.

Les premiers temps, tu m'avais violemment reproché mes absences. Une brillante carrière universitaire se dessinait devant toi. Il semblait n'y avoir pas de justice à ce que je voyage pendant que tu restais à la maison, cloué par les crises. Mais tu t'es habitué à mes disparitions. Avec le temps, tu y as même pris goût. Pendant quelques jours, nous vivions l'un sans l'autre, et notre sentiment d'indépendance reposait alors exclusivement sur la certitude de nous retrouver bientôt. La liberté nous aurait paralysés si nous n'avions su qu'après cet intervalle, nous nous retrouverions comme à l'accoutumée.

Soudain je me suis rappelé l'invitation faite à Cécile et Patrick pour le samedi suivant. Vu ton état, il n'était plus question de l'honorer. J'ai envisagé de t'inventer une sciatique, un lumbago, quelque chose de long et pénible. Mais les Taupin finiraient bien par apprendre la vérité, que mon mari n'était pas tout à fait comme les autres. J'ai résolu de tout dire, et je suis allée sonner à leur porte.

Cécile venait d'emmener les enfants chez Decathlon, mais Patrick m'a proposé de boire une bière. J'ai accepté en me demandant de quoi nous allions pouvoir parler. Or Patrick était loquace. Il m'a renseignée sur les Durand-Dubreuil, qui venaient de s'installer dans la maison à côté de chez eux. Les Dudu, ainsi qu'ils se surnommaient eux-mêmes, possédaient cinq enfants régulièrement étagés de la maternelle au collège.

– Une famille moderne, ils sont cool, a précisé Patrick afin de dissiper tout malentendu, que je n'aille pas me figurer des représentants de la manifestation pour tout le monde.

Les Dudu avaient d'ailleurs proposé qu'on se réunisse chez eux pour « un temps d'échange informel ». J'ai pensé que l'expression était assez contradictoire – pourquoi ne pas dire simplement un café ou un verre ? – mais j'ai répondu que j'irais volontiers. Et j'ai ajouté que nous ne pourrions malheureusement pas recevoir les Taupin le samedi soir, ainsi que nous en étions convenus. Comme Patrick ne semblait pas attendre d'explication, je n'en ai fourni aucune. Sa bière était vraiment bonne.

– Une brasserie locale, s'est-il félicité en sortant deux autres bouteilles du frigo.

La conversation se développait avec aisance. On « créait du lien », ainsi que le répétait Benoît Klincksieck à propos de tout et n'importe quoi. Puis Cécile est rentrée avec Tom et Apolline. Patrick lui a dit qu'on reportait notre dîner. Elle n'a posé aucune question, seulement dit qu'elle comprenait. J'ai éprouvé un soudain élan d'affection envers elle. Si un jour j'en éprouvais le besoin, je pourrais lui parler : Cécile ne trahirait pas ma confiance. Après quoi elle s'est penchée par la fenêtre pour admirer mes soucis. J'avais vraiment la main verte, s'est-elle exclamée, il faudrait que je lui donne des conseils.

— Les soucis sont résistants, ai-je répondu, ils se relèvent du pire comme du meilleur.

Et nous avons ri.

9

Jusqu'aux années 1960, la place des Fêtes, Paris 19e, accueillait une vaste pelouse, un kiosque à musique et les structures fixes d'un marché couvert. Puis on s'avisa que bien de la surface était ainsi gâchée en verdure, en espace public, en pure perte. Des promoteurs s'offrirent à densifier le bâti pour maximiser le rendement du foncier. Il suffisait de raser quelques dizaines d'immeubles en parfait état, de les remplacer par des tours, et de substituer à la pelouse une dalle de béton abritant trois niveaux de parkings. Aucun responsable politique ne s'opposa à ce projet. Si bien qu'après une étude sommaire conduite par l'urbaniste Marc Leboucher – dont le nom apparaîtrait bientôt programmatique –, on lança les expropriations, le remembrement des parcelles, avant d'appeler les démolisseurs et d'édifier sur les décombres de grands ensembles unanimement qualifiés de hideux.

Ainsi débutait ma présentation pour convaincre Benoît Klincksieck de nous confier le projet. Mais, deux minutes avant de prendre la parole, j'avais été saisie d'une angoisse, et j'avais prié Bogaert de me remplacer. Sa notoriété et son léger accent feraient passer les impertinences en douceur. Peut-être aurions-nous raflé la mise si j'avais moi-même prononcé le discours, peut-être pas. Toujours est-il que je m'étais contentée de sourire pendant que Bogaert emportait la victoire.

À la Belle Époque, les forains exhibaient des fauves sur la place, et les riverains se plaignaient des rugissements que poussaient, la nuit, les bêtes en cage. Un siècle plus tard, c'étaient de tout autres fauves qui sévissaient sur la zone, gîtant toujours dans des cages, mais cette fois d'escalier. Ils s'y adonnaient à divers trafics, au vif mécontentement de l'humble population qui vivait là parce qu'elle n'avait pas les moyens de partir. Dans les années 2000, l'installation d'un commissariat de police permit d'éloigner les nuisibles, et le secteur se pacifia. Restaient les puddings de béton, fantasmes futuristes passés de mode avant même d'être achevés, et qui ne suscitaient plus chez le spectateur qu'un mélange de terreur, de pitié et de rire.

Je voulais réaménager cet espace. Puisqu'il était trop coûteux de détruire les tours, on apprendrait à les aimer, avec leurs façades muettes, leurs yeux de robot, leurs ascenseurs conduisant à des hauteurs déraisonnables ou à des profondeurs infernales. La scénographie que j'inventerais avec Bogaert ferait surgir leur beauté singulière, ainsi qu'un visage ingrat se rétablit sous une lumière favorable.

Nous travaillions sur la notion d'espace incertain. Je ne me rappelle plus lequel des deux se trouvait à l'origine du concept, mais lui l'avait fait fructifier avec beaucoup plus de succès que moi. Au lieu de proposer des équipements induisant des usages précis – jeux pour enfants, fontaine, amphithéâtre, tous aménagements qui avaient été expérimentés en vain par le passé –, nous suggérions d'assumer la nature incertaine du territoire. Notre projet rendait la dalle à une végétation dense mais légère, parsemée de matériels semi-amovibles afin de laisser les habitants inventer leurs propres usages. Nous installerions des serres, des chapiteaux, du mobilier en bois, déléguant aux associations locales la mission de les gérer pour favoriser l'adhésion du voisinage.

Par manière de plaisanterie, tu disais que mes commanditaires cultivaient sans doute une espèce de masochisme, puisqu'ils me payaient à remplacer le certain par le rien. Mais, pour le moment, tu ne disais pas grand-chose. Tu émergeais lentement du brouillard où t'avait plongé Serrier.

Vers midi, tu descendais en robe de chambre, et tu t'asseyais sur le canapé pour fixer l'herbe couverte de givre. Je te posais des questions simples auxquelles tu répondais par oui ou par non. De temps en temps, tu demandais quand nous irions à Auxerre, et je murmurais :

— Bientôt, dès que le projet sera sur les rails.

Tout l'hiver, nous avons regardé des films, de vieilles choses en noir et blanc vues autrefois dans des petites salles du Quartier latin, alors qu'elles étaient déjà vieilles. Le soleil se couchait derrière l'écran. Soudain la baie vitrée prenait feu, saturée de rayons rouges. Le spectacle méritait bien quelques désagréments.

Nous avions appris, par exemple, que notre système de chauffage cent pour cent énergie renouvelable ne fonctionnerait, en définitive, jamais. Le bureau d'études s'était trompé dans les calculs. Le volume d'eaux usées récupérable sur la parcelle ne suffisait pas à alimenter la chaudière. Bref, dès les premiers beaux jours, on forerait le bitume pour nous amener le gaz.

En attendant, j'avais fait livrer un radiateur à bain d'huile. Nous nous serrions de part et d'autre au moment de regarder le film. Tu avais du mal à quitter le canapé après le générique. Je montais me brosser les dents pendant que tu traînais en bas. Mais, un soir, tu m'as crié de redescendre. J'ai accouru en chemise de nuit, craignant la crise. Tu étais toujours dans le canapé. Tu as dit :

– Tu n'entends rien ?

C'est vrai qu'on percevait quelque chose. Des éclats de voix atténués par le passage à travers une matière épaisse, mais tout de même identifiables comme vulgaires, émanant très vraisemblablement d'un talk-show télévisé.

– Les cons, as-tu pesté. Ils ont abîmé l'isolation phonique.

Je me suis souvenu que, dans la journée, nous avions effectivement entendu une perceuse. Les Lecoq avaient creusé trop loin dans le mur, endommageant la couche intermédiaire qui bloquait les ondes. Nous sommes allés nous coucher. Mais, maintenant que j'avais perçu le bruit, il s'était logé au fond de mon crâne et me poursuivait jusque dans la chambre.

Les soirs suivants, nous avons de nouveau entendu leur télé. Nous montions le volume pour noyer le son. C'était assez efficace, pourtant j'en venais à redouter les pauses dans les dialogues, quand les rires gras venus d'à côté nous rappelaient que nous n'étions jamais seuls.

Puis, un samedi de la fin du mois de mars, alors que les jours avaient sensiblement rallongé et que la température montait en flèche, des quantités de voitures ont envahi l'allée. De la cuisine, je les ai vues se garer devant chez nous et coloniser progressivement toute la voie. Des couples s'extrayaient des voitures. Les hommes portaient des vestes, les femmes des petites robes noires. Tous étaient munis de bouteilles de champagne et s'interrogeaient bruyamment sur l'adresse exacte avant de se diriger vers la porte des Lecoq.

J'ai couru au jardin. De l'autre côté des buis, le barbecue crachait ses premières fumées pendant qu'on installait la sono. Ils auraient dû nous avertir. Dans ce genre d'extrémité, tu aurais accepté de quitter la maison. J'ai fermé les fenêtres, tiré les rideaux. Nous dînerions en vitesse et nous prendrions un somnifère pour nous endormir avec les bouchons d'oreilles.

À une heure du matin, toute l'allée résonnait du bruit de la fête, une mixture de musique métallique, d'exclamations soûles et de verre brisé. Je me suis étonnée du calme dans les autres maisons. Pas une lumière aux fenêtres, pas un voisin qui aurait légitimement pu s'irriter du dérangement. J'ai ouvert un bout de rideau, et, par-dessus la haie, j'ai aperçu le crâne de Patrick. Il blaguait avec Arnaud Lecoq pendant que Cécile conversait un peu plus loin avec Malika Benani. Des couples dansaient sur l'herbe, près d'une enceinte grésillante. Des gobelets étaient fichés au sommet des buis. Sur notre pelouse, j'ai distingué des capsules, des croûtes de fromage, quelques mégots.

Calfeutrés dans la chambre, nous avons tenté de faire abstraction du bruit. Mais, plus nous essayions de penser à autre chose, plus il pénétrait profondément nos conduits auditifs, traversait les bouchons d'oreilles pour percer nos tympans, vriller nos cerveaux. À quatre heures, on n'en pouvait plus. J'ai enfilé mon peignoir et je suis descendue. La fête débordait partout dans l'allée. On piétinait le gazon devant les maisons, celle des Lecoq mais aussi la nôtre et celle des Benani, qui ne semblaient pas s'en émouvoir. Youssef complimentait Annabelle sur son décolleté pendant que Malika tanguait avec Franck Lemoine au son d'une musique épouvantable, et que d'autres s'égaillaient dans l'obscurité pour se peloter entre les voitures ou rendre leurs tripes sur les boîtes aux lettres.

J'ai appelé Annabelle. Elle s'est retournée, un peu moins soûle que les autres et toujours aussi narquoise. Je lui ai dit qu'il était très tard, on n'en pouvait plus, auraient-ils l'amabilité de finir la soirée à l'intérieur ? Elle m'a souri, poings sur les hanches, et elle a répondu :

– Tiens, la madame d'à côté qui ne répond pas à mes invitations. Mais tout le monde s'amuse, madame d'à côté. On sait que ce n'est pas votre fort, d'ailleurs il suffit de voir la tête de votre mari pour comprendre qu'il ne s'amuse pas tous les jours non plus.

Derrière elle, Franck et Malika ont cessé de tanguer. Ils m'ont adressé un sourire coupable, et Youssef a dit :

– Bah il est tard, on devrait rentrer.

Sur quoi il a attrapé une bouteille et entraîné sa femme vers leur maison. Pendant ce temps, ceux qui s'étaient éparpillés au loin se sont rapprochés d'Annabelle pour l'épauler. Ils grognaient des choses comme :

– Allez madame, soyez fun, si les gens ne peuvent plus faire ce qu'ils veulent chez eux, c'est le fascisme, la tyrannie. Allez madame, vous nous faites pitié.

Annabelle se contentait de sourire, entourée de ses amis. J'ai battu en retraite. Je n'avais même pas la force de pleurer. De retour dans la chambre, je t'ai dit :

– Je suis désolée, je ne peux rien faire.

Tu t'es serré contre moi. Un rai de lampadaire filtrait à travers les rideaux. Sur le mur, la rambarde du balcon se dessinait en ombre chinoise. Il suffisait d'attendre le jour, les oiseaux. Au matin, ça se calmerait. Ce ne serait sans doute pas parfait mais vivable. Je sentais ralentir les battements de mon cœur, les tiens dans mon dos s'apaisaient aussi. Et peut-être que la suite se serait déroulée tout autrement si, queue tendue bien droite vers le ciel, le gros rouquin n'était apparu sur la rambarde à cet instant.

10

Je t'ai tout de suite dit que ce serait une erreur de tuer le chat. En général parce que nous ne sommes pas des personnes qui s'en prennent aux animaux, et en particulier parce que nous sommes encore moins de celles qui clouent leurs dépouilles aux portes du voisinage en signe de mécontentement.

C'était avril déjà, six mois que nous avions emménagé. Je rempotais les soucis devant la cuisine, et tu m'avais accompagnée à l'extérieur pour prendre le frais. Tu avais réfléchi à tous les détails pour occire le gros rouquin. Adossé à la porte, tu les exposais pendant que je creusais la terre sans répondre, certaine que tu parlais par provocation.

Toutes les fenêtres du voisinage étaient ouvertes. Oui, c'était forcément des mots gratuits pour semer le doute, agiter l'air.

Donc tu m'as expliqué comment nous lui ferions avaler le poison. Nous patienterions jusqu'à son agonie, après quoi nous disposerions son corps dans un endroit bien en vue, de telle sorte que rien ne permette de nous incriminer mais qu'il n'y ait pas non plus la moindre ambiguïté sur les causes de sa mort, que nul n'aille imaginer un accident et que tout le monde comprenne bien, au contraire, qu'il s'agissait d'une mise en garde.

J'ai ri.

Tu es resté de marbre.

Je t'ai demandé si tu étais sérieux, persuadée que tu ne l'étais pas. J'ai pensé que la nouvelle molécule de Serrier agissait un peu trop bien, ou que tu avais forcé sur la dose. Sans effort, tu étais passé de l'autre côté, et tu m'abandonnais derrière toi, dans le monde des personnes qui se comportent de façon correcte, selon des règles informulées mais rigides, où l'on n'attente à l'intégrité ni des personnes ni des bêtes. Si nous étions restés à Paris, une pensée pareille ne t'aurait jamais traversé l'esprit. Les idées te venaient par contamination, quelque chose de maléfique dans l'air ou dans l'herbe, une substance inodore qui te tournait la tête.

Au dîner, tu as suggéré plusieurs produits toxiques disponibles sur internet ou dans les grandes surfaces de bricolage, et tu m'as dépeint leurs conséquences probables sur un corps d'environ cinq kilos. Tu brodais à loisir, tes descriptions ne manquaient pas de sel. Si bien que, plus tard, quand nous sommes allés nous coucher, je me suis demandé à mon tour si je serais capable de réaliser ton plan.

Par la suite, nous avons souvent remâché l'idée. Elle nous arrivait par moments, quand les Lecoq dépassaient de nouvelles bornes. Alors nous en peaufinions les détails comme on plante des aiguilles dans des figurines, avec le vague espoir de faire souffrir le modèle, mais surtout pour le plaisir d'une cruauté sans incidence. Elle nous faisait du bien.

11

Il a fait très beau ce printemps-là. J'ai acheté des meubles de jardin et on s'est mis dehors pour profiter du soleil. C'était tranquille la journée, sauf le mercredi où Annabelle ne travaillait pas. Vissée à son portable du matin au soir, elle renseignait ses interlocuteurs sur toutes les péripéties de l'agence immobilière qu'elle tenait avec son mari. Je n'avais aucun mal à l'imaginer en commerciale.

– En commerçante, rectifiais-tu avec la dose de sarcasme qui signalait tes remontées du gouffre.

C'était bon signe. Tu serais bientôt d'attaque pour tailler la haie. J'avais hâte qu'elle s'étoffe. Nous nous repliions à l'intérieur en début de soirée, car les Lecoq occupaient ensuite le terrain. De l'autre côté de la haie, ils allumaient le barbecue et palabraient sans fin sur l'embourgeoisement du secteur. Chaque semaine, un magasin bio remplaçait un kebab ou une charcuterie. C'était tout bénéfice pour le business.

Les Lecoq s'étaient rapprochés des Durand-Dubreuil. Ils s'invitaient pour des apéritifs, on sentait qu'une alliance n'allait pas tarder à se former. Voguant vers les quarante ans, Inès conjuguait famille nombreuse et dynamique modernité. Du matin au soir, elle s'ingéniait à réinventer les goûters d'anniversaire, la chandeleur, et toutes les occasions qui lui permettaient d'exhiber ses talents d'hôtesse. Lorsqu'elle était invitée, elle apportait toujours une bricole en provenance d'«une boutique géniale dans le Marais». Et, si la soirée devait se prolonger, elle faisait appel à la petite Benani pour garder sa progéniture, en n'oubliant jamais de lui confier du repassage afin de ne pas la payer à rien faire quand les enfants seraient au lit.

Inès n'avait pas besoin d'une carrière pour asseoir sa domination. Elle s'épanouissait pleinement dans les vraies valeurs que constituaient la vie de famille, la décoration d'intérieur, et l'affection d'un mari perpétuellement absent car perpétuellement retenu en réunion. Jamais à court de points de vue, elle informait volontiers son auditoire qu'elle votait pour Jean-Luc Mélenchon. Ce n'était pas parce qu'elle venait des bonnes banlieues, traitait la petite Benani comme sa femme de ménage et considérait de façon générale tout le voisinage comme des membres plus ou moins corvéables de sa domesticité, qu'elle était insensible à l'injustice. Bien au contraire. Inès avait roulé sa bosse avant de devenir mère, et elle n'avait pas de mots assez durs contre le grand capital. Oui, les géants de la finance s'en tiraient à bon compte cependant que les cadres, qui apportaient la vraie valeur ajoutée à l'entreprise, étaient plombés par des impôts tels qu'ils devaient parfois se satisfaire, l'été, de trois semaines en Bretagne. Et elle adressait un regard mélancolique au bleu du ciel comme si elle y apercevait les Arnault, les Dassault, les Bolloré s'envoler pour les Tropiques avec l'argent qui lui était dû.

Directeur du développement durable au sein d'un grand groupe pétrochimique, Alban Durand-Dubreuil faisait donc partie de ces laissés-pour-compte qui ne prennent pas toujours leurs vacances où ils le souhaitent. Alban n'était pas vieux, mais on sentait l'âge gagner prématurément son front soucieux. Une fatigue s'installait. Il semblait ne plus croire à grand-chose, même s'il trouvait encore la force de branler du chef aux déclarations révolutionnaires de sa femme.

Celle-ci se félicitait de posséder un mari si complaisant. Mais, dans l'intimité, Inès ne se privait pas de verbaliser quelques griefs, ainsi que je l'avais appris grâce au traître agencement de nos habitats. Cécile m'avait invitée à prendre un verre dans son jardin après le repas. Nous bavardions tranquillement quand elle avait soudain dû s'absenter parce que Tom était rentré du basket avec un énorme gnon. Les buis de Cécile étaient chétifs, meurtris par les coups de ballon, et je pouvais ainsi apercevoir, par les interstices de la haie, Inès et Alban dînant aux chandelles.

J'ai été touchée que, malgré la charge d'un ménage si considérable, le couple se réserve des soirées à deux. Puis j'ai été intriguée par la posture d'Alban. Fixant désespérément son assiette, il semblait endurer le poulet basquaise comme on purge une peine carcérale. Car Inès avait beau s'enorgueillir de sa progéniture, de sa déco design et généralement de toute sa personne, elle avait aussi besoin d'être valorisée en tant que femme. Une Femme avec un grand F, dans la pleine mesure de sa féminité épanouie, parce que les hommes me regardent, sais-tu Alban, comme tu ne me regardes plus, et si tu ne me regardes plus je meurs, oui j'ai besoin de savoir que tu m'aimes, Alban, ou je me tue.

J'ai pensé qu'Alban n'avait vraiment pas de couilles. Elle lui présentait la solution sur un

plateau et, au lieu de s'en saisir, de cesser définitivement de la regarder puisque c'était le moyen
qu'elle disparaisse à jamais, il plongeait le menton
de plus en plus bas vers son assiette trempée de
sauce, prêt à courber l'échine jusqu'à la mort plutôt que de se révolter.

Cécile est revenue au jardin. Tom se portait
bien, il fallait simplement qu'il garde un sac de
glaçons appliqué contre sa tempe pour limiter
l'hématome. J'ai proposé de rentrer au salon.
Cécile était embêtée car Patrick regardait le
match. Mais il mettrait son casque, a-t-elle aussitôt suggéré, nous n'aurions qu'à faire comme s'il
n'était pas là. Nous avons donc pris place sur le
canapé tandis que Patrick se déplaçait vers un
fauteuil, où il s'est enfoncé comme une plante
dans son pot.

Cécile ne rechignait pas à quelques commé-
rages. Pour l'aiguillonner, j'ai dit que je trouvais
Inès «marrante». Cécile a froncé les sourcils.
Oui, Inès était tellement marrante qu'elle envoyait
ses enfants jouer chez les Taupin parce qu'elle
aimait peindre ses abat-jour dans le calme. J'ai
oublié de m'offusquer de ces mauvaises manières
pour m'étonner qu'un passe-temps si original ne
soit pas encore parvenu à mes oreilles.

– Des couchers de soleil très délicats, a précipitamment ajouté Cécile, afin que je n'aille pas

croire qu'elle critiquait soudain tout ce qui se rapportait à Inès.

Puis elle a voulu savoir où j'en étais avec Annabelle. Je ne m'étais pas étendue sur les difficultés que nous rencontrions avec les Lecoq, mais Cécile était fine.

– Tout va bien, ai-je répondu, un peu pincée.

– Ah, tant mieux, a soupiré Cécile, visiblement soulagée. On était tous désolés pour la crémaillère, tu sais. C'est fou que vous n'ayez pas reçu l'invitation. Annabelle était un peu vexée que vous ne soyez pas venus, mais c'est oublié. Et puis Arnaud est gentil.

Je n'aurais jamais imaginé qu'on pût qualifier Lecoq de gentil. À entendre les tractations immobilières dont il se vantait sans cesse derrière la haie, je me représentais davantage les aspects cupides et calculateurs de sa personnalité. Mais il fallait reconnaître que, lorsque nous le croisions, il se montrait aimable, répétant qu'il ne fallait pas hésiter si nous avions besoin d'un coup de main car, côté bricolage, il « touchait sa bille ».

– C'est vrai, suis-je convenue, on n'a pas à se plaindre d'Arnaud.

– Il paraît qu'il t'adore, s'est exclamée Cécile.

Comme je restais sans voix, elle m'a raconté que, quelques jours plus tôt, prenant l'apéritif chez Romuald et Romaric, elle avait entendu Lecoq se confier à Youssef Benani. D'après

Cécile, Arnaud estimait que j'étais une «très belle femme», toujours «très classe» malgré les années que j'avais de plus que lui, et il déplorait l'attitude agressive de son épouse à mon encontre. Nous avons fini notre verre en parlant d'autre chose. Toute l'allée s'inquiétait des travaux qui devaient bientôt nous amener le gaz. D'ici à quelques jours, on verrait débarquer les marteaux-piqueurs. On n'avait pas la moindre idée de quand le chantier arriverait à son terme.

Lorsque je suis rentrée, tu étais déjà au lit, faisant semblant de dormir. J'ai fait semblant d'y croire. Je devinais sans peine ce que tu avais à me reprocher. Non pas de prendre des verres avec Cécile, mais d'en prendre un peu trop souvent à ton goût. Or ta manière de protester implique un silence extrêmement remuant, où tu manifestes par des petits mouvements impétueux au fond du lit que tu ne comptes pas en rester là. J'ai hésité à déclencher la scène. C'était à double tranchant. On ne savait jamais jusqu'où elle nous entraînerait, si les choses demeureraient en surface ou si elles feraient remonter un fond de rancœur plus chargé. J'ai pesé le pour et le contre, et j'ai fini par déplier le canapé dans le salon.

12

Le lendemain, tu ne boudais pas, et c'était louche. J'avais beaucoup de travail ce jour-là. Je suis montée à mon bureau tout de suite après le petit déjeuner. Bogaert ne venait plus aux réunions depuis des semaines, et il esquivait toutes mes propositions de le rejoindre à Rotterdam. Devant l'écran, j'hésitais à insister quand j'ai été distraite par un mouvement dans le jardin.

Tu étais là, sous mon regard, bavardant par-dessus la haie avec Annabelle. J'ai ouvert la fenêtre pour entendre ce que vous disiez. Elle gloussait comme d'habitude, mais sur un ton très différent de celui qu'elle employait avec moi. Je n'en croyais pas mes oreilles. Elle minaudait et tu la laissais faire, babiller à propos de la dalle que les Lecoq avaient décidé de faire couler sur leur jardin – une surface dure, ce serait plus pratique pour les barbecues, de toute façon ils n'avaient pas la main verte, ils se fichaient des plantations. Et toi qui courais vers l'armoire à pharmacie dès qu'il était question des travaux de raccordement dans l'allée, tu encaissais le choc – une terrasse, ah oui, c'était une bonne idée, nous allions y songer aussi.

J'ai claqué la fenêtre. Soudain je n'en pouvais plus de cette banlieue verdoyante où l'on suffoquait. J'avais besoin de voir la ville, des tours fuyant vers le ciel, des immeubles massifs aux fenêtres impénétrables. Je suis sortie sans te prévenir et j'ai marché à toute vitesse vers le RER.

Le centre-ville se transformait à une vitesse effarante. Alléchée par le prolongement du métro, une nouvelle population investissait la commune. Et ces classes intermédiaires, qui bénéficiaient d'un bond spectaculaire de leur pouvoir d'achat par simple franchissement du périphérique, exigeaient des commerces à leur mesure – boutiques de créateurs, équitables, biologiques –, refoulant chaque jour un peu plus loin les derniers vestiges de l'ancien peuplement.

Pareillement attifées de pièces pareillement originales, les jeunes femmes arpentaient les rues d'un pas souverain. Comme l'herbe maléfique sous nos fenêtres, elles gagnaient du terrain pendant que je rapetissais, moi qui m'en étais toujours tenue à la veste-pantalon, avec des variantes pour la blouse, mousseuse ou flottante, à pois ou rayée, mais toujours impeccablement discrète, n'apercevant aucune raison de me déguiser en saltimbanque au prétexte que j'évoluais dans un milieu de création, et jugeant même, à ce titre, qu'il m'incombait de manifester davantage ma fiabilité et mon sérieux.

J'étais dans un état d'extrême agitation quand je suis descendue dans le RER. Le signal sonore retentissait sur le quai. J'ai claqué ma carte de transport sur le portique et sauté dans la rame à l'instant où les portes se refermaient. Assise sur un strapontin, je me suis laissé bercer par le roulis, me répétant une fois de plus que nous en avions connu, des épreuves, en trente ans de vie commune, et que nous nous en étions toujours sortis la tête haute. Deux ou trois stations ont défilé dans le noir avant que je rouvre les yeux. Sur le strapontin d'en face, Arnaud Lecoq me souriait.

Il n'a pas permis à la stupeur de s'installer. Il est venu s'asseoir à mon côté, mains jointes sous le menton, tourné vers moi dans une posture conciliatrice.

– On a mal engagé les choses, hein Éva. Vous m'en voulez.

Et il a aussitôt enchaîné :

– Ma femme, il faut reconnaître qu'elle n'est pas toujours facile.

Mes pensées étaient très emmêlées. Je n'avais aucune envie d'entrer avec lui dans le détail de sa vie conjugale. Certes, j'étais soulagée d'apprendre qu'elle n'était pas plus simple que la nôtre. Mais je me rappelais aussi toutes les fois où les Lecoq avaient enfreint notre espace vital, miné notre territoire. D'un coup je me suis sentie très fatiguée. J'ai rêvé d'une trêve, deviné l'embuscade. Le RER s'est arrêté. Sans rien répondre, j'ai bondi hors de la rame et je suis restée plantée là, les yeux dans le vague, sur le quai d'une station dont je n'ai pas même cherché à lire le nom. Arnaud s'éloignait déjà dans le tunnel, me souriant avec des yeux de loup.

13

Quand je suis descendue à la cuisine le jour suivant, un camion benne barrait l'entrée de la voie. Les ouvriers déchargeaient du matériel. Un quart d'heure plus tard, ils ont commencé à forer. C'était un bruit sans nom qui explosait à l'intérieur des crânes. Il n'était pas humainement possible de le supporter. Et ces hommes qui foraient, casque vissé jusqu'aux yeux, bras rivés à l'engin qui pulvérisait l'asphalte, exécutaient leur tâche avec une tristesse muette. Peut-être songeaient-ils, vibrant au rythme de leur machine, qu'ils s'étaient bien fait avoir en traversant la Méditerranée. Peut-être estimaient-ils, à l'inverse, qu'ils se trouvaient mieux ici. Et peut-être qu'ils ne pensaient rien, transformés en simples prolongements de leur machine.

Je t'ai proposé de m'accompagner au Voltigeur, le bar-tabac du centre-ville. On pouvait s'y connecter au wifi. Ainsi, j'avancerais sur mon travail pendant que tu lirais le journal ou te connecterais à je ne sais quoi. Mais tu as refusé cette solution. Tu préférais augmenter tes doses et te recoucher avec les bouchons d'oreilles. Et pendant trois jours, tu as suivi ce programme. Les travaux cessaient en milieu d'après-midi. Quand je rentrais, je te retrouvais au fond du lit, à peine capable de te lever pour prendre une douche froide. À la fin de la semaine, une saignée fendait le bitume, protégée par des barrières de chantier et chevauchée par une plaque en zinc au niveau des maisons Lecoq et Durand-Dubreuil. Je passais le gué chaque soir pour me rendre chez les Taupin. Dans leur cuisine, on buvait une bière en scrutant le massacre. On se demandait combien de temps ça allait durer.

Les travaux se sont embourbés dès qu'il a commencé à pleuvoir. Les ouvriers venaient raccorder une maison pendant une éclaircie, puis ils disparaissaient pendant des jours. Toi et moi, on se parlait peu. Tu semblais me reprocher les désagréments comme si c'était moi la cause de nos maux, et non un désastre objectif.

J'avais pris l'habitude de travailler au Voltigeur pour fuir la maison. Le bar-tabac présentait bien sûr des inconvénients. Assise en vitrine, j'étais la proie de tous nos voisins qui se rendaient vers le RER. Ils n'avaient pas le choix, je ne pouvais leur en vouloir de venir les uns après les autres toquer à la vitre pour me faire coucou. Parfois ils entraient pour demander si le café était bon, puis ils décidaient d'en boire un avec moi, de s'asseoir cinq minutes avant de partir au boulot – je te promets que je ne te dérange pas plus d'un quart d'heure, mais qu'est-ce que tu as de la chance de pouvoir bosser où tu veux quand tu veux, toi au moins tu profites.

Bientôt les confidences affluaient. Les inquisiteurs se trompent en bombardant leurs victimes de questions. Il suffit souvent de garder le silence pour que l'autre croie que vous vous intéressez, avec votre air circonspect qui très paradoxalement rassure, vous confère une réputation de compétence et d'objectivité, alors que je n'en avais vraiment rien à faire de leurs histoires de compost, de vide-greniers.

J'abhorrais spécialement les vide-greniers. Depuis toujours, je me tenais éloignée de ces déballages d'objets inutiles, dont les propriétaires monopolisent le trottoir avec une jovialité indécente, comme s'il n'existait pas de plus grand bonheur sur terre que de se soûler tout un dimanche en exhibant ses rebuts. Mais j'apprenais soudain que tout n'allait pas pour le mieux sous le ciel des vide-greniers.

L'ambiance s'était ternie à la Pentecôte, m'a confié Cécile un pluvieux mercredi de juin. Ce week-end-là, tous nos voisins s'étaient retrouvés devant l'Intermarché, entre les jouets déglingués, les bacs de 45-tours et la vaisselle hors d'âge. Inès et Annabelle tenaient un stand un peu différent. Je restais assez sceptique face à cet attelage, mais il semblait qu'elles se fussent alliées dans leur passion pour les «loisirs créatifs». Ainsi, la première présentait ses abat-jour ornés de couchers de soleil tandis que l'autre vendait des cupcakes – des gâteaux atrocement bourratifs ornés de petits nœuds en sucre, m'a expliqué Cécile. Il se trouvait malgré tout des amateurs, notamment masculins, et de plus en plus à mesure que la journée avançait.

En fin d'après-midi, comme Cécile, Malika et toute une cohorte d'épouses du quartier tentaient de contenir les débordements d'enfants et les gobelets de bière qui valsaient sur les tables, les messieurs s'étaient attroupés près des abat-jour et des cupcakes avec un surplus de canettes, riant très fort aux bons mots d'Annabelle. Dans mon expérience, ces traits d'esprit se résumaient à un catalogue d'inepties assaisonnées de glousse-ments. Nul ne pouvait s'en délecter à moins d'être ivre ou animé d'une motivation ultérieure. Or celle-ci, à ce point, semblait parfaitement claire. Je connaissais les microshorts d'Annabelle. Elle en possédait toute une collection, qu'elle assortissait avec des talons compensés quand elle avait flairé le gogo à l'agence. J'avais également noté à quel point les microshorts confèrent de l'esprit à celles qui les portent, et combien leurs auditeurs les créditent soudain d'une verve insoupçonnée. Je me figurais très bien Patrick, Youssef, et même toi – car tu faisais maintenant quelques pas à l'extérieur le dimanche –, vautrés sur des sièges en plastique et tordus de rire aux récits désopilants d'Annabelle pendant que Cécile et Malika essayaient vainement de s'interposer en proposant du taboulé, des parts de quiche.

Nous nous étions toujours préservés de telles sociabilités. Et voici qu'enivrés par les effluves de barbecue, nous nous transformions en ectoplasmes. D'ici à quelques années, tu serais devenu l'épais mari au t-shirt troué, engoncé dans son pliant et poussant des rires gras tandis que je me changerais en harpie, rouspétant sans fin après les tropismes si prédictibles des mâles.

Mais Cécile n'avait pas fini son rapport. Oui, tu étais venu quand j'avais une fois de plus le nez dans l'ordinateur, et tu avais ri comme les autres. Mais pas autant que Patrick. Notre voisin n'avait jamais été insensible aux microshorts, m'a expliqué Cécile d'un air las. Et ce n'était pas vraiment un problème, a-t-elle ajouté dans un soupir, au bout de vingt ans, que veux-tu, on n'envisage plus la sexualité que comme un corollaire un peu fastidieux.

Dans la salle du Voltigeur, je lui lançais des regards horrifiés. Non, je ne voulais rien savoir de son intimité avec Patrick, du vide-grenier de la Pentecôte ni des cupcakes d'Annabelle. Je voulais qu'on me laisse tranquille, qu'un miracle me délivre de toute cette convivialité, et surtout, au grand surtout, que plus personne dans un rayon de cinq kilomètres ne me tutoie. Mais Cécile me jetait des œillades lourdes de sens, comme si elle me reprochait obscurément de laisser ma voisine se dévergonder sur la voie publique alors que c'était mon rôle de la tenir, ainsi qu'elle-même subissait Inès, absorbant un maximum de promiscuité de telle sorte qu'il en restât moins pour les autres.

Soudain j'en ai eu plus qu'assez de Cécile, de ses quiches et de ses chemisiers pleins de taches. Je lui ai dit :

— Pardon, j'ai du travail, on reparlera de ça plus tard.

Elle a semblé meurtrie. Je lui ai présenté mes excuses. Mais elle était déjà debout, un peu raide, et elle m'a répondu :

— Non, c'est moi qui suis désolée. J'avais besoin de parler à quelqu'un, c'est tombé sur toi.

Alors j'ai compris que ce n'était la faute ni de l'une ni de l'autre. Il n'y avait tout simplement pas assez d'espace pour vivre comme chacune l'entendait. Cécile est sortie sous la pluie. J'ai essayé de me replonger dans mon travail, mais l'image d'Annabelle en microshort s'interposait sans cesse devant l'écran. Du coup, j'ai imaginé un petit jeu. Chaque fois qu'elle m'apparaissait, je lui substituais celle de Bogaert. La technique n'était pas efficace à cent pour cent, mais elle fonctionnait. Je ne l'avais pas vu depuis des semaines, et il continuait d'esquiver mes propositions de le rejoindre aux Pays-Bas. Lassée de guetter une réponse, je l'ai relancé dans un message, et j'ai recommencé d'attendre en observant les allées et venues devant le RER.

En milieu d'après-midi, les nuages crevaient au-dessus de la gare, et Bogaert m'avait dit non. Il l'exprimait dans un mail très courtois, mais sa réponse était sans ambiguïté : il ne souhaitait pas que je vienne à Rotterdam. J'ai repoussé l'ordinateur et je me suis pris la tête entre les mains, tirant la racine de mes cheveux pour avoir mal. C'était ma faute, évidemment. J'avais toujours fait preuve de la plus grande diplomatie dans les affaires importantes, et voilà que je perdais mes moyens.

On a encore toqué à la vitre. J'ai soulevé les paupières et découvert Arnaud Lecoq, tout sourire sous son parapluie. Il s'était arrêté malgré l'averse pour m'envoyer des signes de connivence. Je me suis demandé à quelle obscure complicité il se référait, mais je n'ai pas protesté lorsqu'il a poussé la porte du Voltigeur pour me rejoindre à son tour.

Arnaud a déclaré qu'il était très heureux de me voir. Il s'est assis à ma table et a commandé d'autorité deux verres de vin. Il avait l'air de quelqu'un qui ne doute pas de sa raison d'être là, orientant la conversation vers un sujet puis un autre, obliquant dès que ça ne mordait pas. J'ai compris qu'il devait être très fort pour vendre des maisons. Il prenait les choses comme elles venaient, certain de sa légitimité à les posséder. Et dans mon égarement je l'ai laissé faire, parce qu'à cet instant il semblait le seul à ne pas m'envisager comme la source ou le réceptacle de ses maux, mais comme celle qu'il recherchait entre toutes.

14

Je n'ai jamais voulu faire l'amour avec lui. À aucun moment je ne me suis dit que je le trouvais beau, séduisant, désirable. Au contraire, je m'étais toujours moquée de son aspect incolore, dépourvu de la moindre aspérité sans quoi le désir n'a nulle part où s'accrocher. Non, je préférais de loin faire l'amour avec toi, qui malgré tes quinze années de plus possédais un corps taillé par l'ascèse et un doigté remarquable. Mais je me sentais à bout de forces. Et dans un accès de faiblesse, il m'a semblé qu'il serait sans doute plus simple, plus économique, peut-être même plus pernicieusement délectable, de m'abandonner à l'ennemi.

C'est ainsi qu'un pluvieux après-midi de juin, pendant que tu avais rendez-vous avec Serrier et que je te savais à Paris pour quelques heures, alors qu'Annabelle était exceptionnellement sortie un mercredi, emmenant son fils avec elle, et qu'Arnaud m'avait exceptionnellement abordée au Voltigeur, puis proposé de me ramener sous son parapluie parce qu'il tombait des cordes, c'est ainsi qu'un pluvieux après-midi de juin, j'ai fini par faire l'amour avec lui.

Tu ne l'as pas su, rien reproché. Pourtant je n'ai rien fait pour recouvrir mes traces. Je ne me suis pas inventé un alibi ni n'ai tenté de masquer, dans nos conversations ultérieures, que tout compte fait je ne le trouvais plus si fade. Ou plutôt, tu l'as su tout de suite. Tu l'as compris comme tu devines tout ce qui me concerne et pourrait te menacer, les hommes que je rencontre en voyage, les occasions où j'ai dérapé et les soirs où j'ai fait chou blanc, où je me suis contentée de dîner en toute innocence avec des inconnus dépourvus de potentiel destructeur. Mais tu l'as su comme tu aimes savoir. C'est-à-dire que tu as repoussé les faits aux limites de ta conscience. Jamais ce que ton instinct avait débusqué n'a franchi le seuil de la parole. Tu l'as remisé dans un coin de ton cerveau, pour plus tard ou pour jamais.

En rentrant de ton rendez-vous, tu m'as trouvée en peignoir, les cheveux dégouttant sur l'éponge. Comme je ne disais rien, tu as fait demi-tour vers la cuisine. Tu avais acheté du veau pour une blanquette. Ce n'était plus la saison, mais c'est si bon, la blanquette, quand la chair du jeune animal s'effiloche sous la dent. Par la fenêtre de la cuisine, je regardais les soucis s'épanouir sous la pluie, la résistance des pétales décuplée par le poids des gouttes. J'aurais voulu m'abîmer dans l'orange éclatant qui renaissait malgré tous les mauvais traitements, après toutes les floraisons fanées. Au lieu de quoi les images de l'après-midi me revenaient en rafales, visions d'un corps que je n'aurais jamais dû voir nu, souvenirs entrechoqués d'étreintes contre-nature et du plaisir violent qu'elles avaient procuré, sans qu'il y ait jamais eu, entre lui et moi, la moindre tendresse, la moindre compassion, la moindre velléité de faire croire à l'autre qu'il comptait pour quoi que ce soit. Et pourtant j'ai vu, quelques secondes après qu'il a joui, dans cet intervalle où malgré tous nos efforts il n'est pas possible de mentir, dans ses yeux j'ai vu qu'il était heureux, triomphant même, non pas d'avoir fait l'amour avec moi, ni même de m'avoir fait jouir si facilement, mais de l'avoir trahie, elle, de l'avoir si bien baisée dans le dos et dans les grandes largeurs.

15

Le mercredi après-midi, il se plantait devant le Voltigeur. On se dévisageait un instant, puis d'un commun accord on allait chez lui. Peut-être que les voisins nous ont vus, peut-être pas. Nous ne faisions aucun effort pour nous cacher. Mais comment auraient-ils pu imaginer ce que je venais chercher de l'autre côté de la haie, moi qui avais toujours professé, à l'encontre des Lecoq, une opinion des plus réservées ?

Arnaud me conduisait dans la petite pièce attenante au salon – celle qui, chez nous, te servait de bureau, et qu'ils avaient aménagée en salle de télévision. Face à l'écran trônait un canapé en cuir noir. Nous ne prononcions pas de parole particulière. Il n'y avait ni prélude ni verre de vin. Et c'était un grand soulagement de ne pas avoir à chercher mes mots ou à mettre de l'ordre dans mes idées. Ensuite nous nous rhabillions à la hâte. Il m'adressait chaque fois le même sourire auquel je ne répondais pas, et je repartais sans même savoir si ça m'avait plu.

En rentrant de ton rendez-vous, tu allais directement à la cuisine. Il fallait surtout que rien ne soit dit. De toute façon, tu n'étais même pas certain que c'était Lecoq. Mais un léger changement dans ma manière de parler de lui, une détestation un peu forcée ont pu te mettre sur la voie. Et puis, d'une certaine façon, c'était logique.

Aucun bruit ne filtrait à travers la cloison pendant notre repas. Leur télé s'était tue, et ils n'utilisaient plus leur jardin, où un entrepreneur viendrait bientôt couler la terrasse. Troublé par ce calme subit, tu n'as pu t'empêcher d'en faire la remarque. Moi, je me posais des questions plus précises. J'aurais voulu percer un trou dans le mur pour voir s'ils étaient, comme nous, attablés en silence devant leur dîner. Je me demandais s'il lui faisait la conversation, s'il lui racontait de fausses anecdotes de l'agence immobilière pour remplir son après-midi, s'il avait l'habitude ou si c'était moi qui l'avais fait dévier. J'étais certaine qu'il avait l'habitude. À aucun moment il n'avait paru hésiter, comme s'il avait su dès le début que les choses se dérouleraient exactement ainsi.

Dans l'allée, les travaux paraissaient définitivement enlisés. Les maisons côté pair avaient été raccordées au gaz, mais on se heurtait, du nôtre, à des difficultés inextricables. Comme la pluie cédait la place à une douce chaleur, on prenait le problème avec philosophie. Si, côté impair, on avait envie d'un bain, on se rendait chez ses voisins d'en face – nous chez les Taupin, les Lecoq chez les Dudu, et ainsi de suite. La solidarité s'installait. On retrouvait son calme.

Quand je descendais à la cuisine le matin, je voyais Patrick partir à son bureau. Annabelle sortait à la même heure pour emmener son fils à la crèche. Il lui adressait un salut distrait, semblant avoir tout oublié des microshorts qui lui faisaient perdre la tête les dimanches de kermesse.

Le soir, Patrick ressortait pour sonner à la porte des Benani. Il s'était découvert un centre d'intérêt commun avec Youssef. Mains croisées dans le dos, les deux hommes se postaient sur la plaque de zinc pour scruter le chantier. Et ils multipliaient les théories. C'était tantôt le choix des matériels, tantôt la conception qui était incriminée. Lorsqu'ils arrivaient à une explication séduisante, ils la formalisaient dans un courrier. Les entreprises venaient faire un tour, invalidaient l'explication, obligeant Patrick et Youssef à en échafauder une autre. Mais ils ne se lassaient pas. Le problème stimulait leur imagination, somme toute il les occupait agréablement.

Dans le jardin des Lecoq, la terrasse semblait au point tout aussi mort. L'entrepreneur avait entreposé les sacs de ciment et divers outils avant de déguerpir vers un autre chantier. Tu t'en réjouissais bruyamment, et j'acquiesçais avec indulgence. La température devenait caniculaire. Dans le transat, je regardais le bleu fixe au-dessus de moi, strié de vapeurs d'avion, pendant que tu somnolais sous le parasol. Nous mettions les choses en perspective. Peut-être qu'il serait possible, après tout, de prendre racine dans cette allée.

Puis, un mardi soir, comme je lisais au salon, j'ai perçu un bruissement de l'autre côté de la haie. Il avait fait particulièrement chaud ce jour-là. Le thermomètre ne descendait plus en dessous de trente degrés. Nous avions pris l'habitude de vivre fenêtres ouvertes, il fallait simplement contrôler les allées et venues du chat. S'il approchait d'un peu trop près, nous le chassions avec un pulvérisateur d'eau additionnée de moutarde. Le gros rouquin avait compris le message. Il suffisait maintenant de brandir l'objet pour qu'il détale à toute allure.

Mais cette fois, ce n'était pas le gros rouquin. Prenant garde à ne faire aucun bruit, je suis sortie pour arroser les plantes. J'ai laissé mes chaussons s'enfoncer dans l'herbe molle, courbée en deux afin que mon crâne ne dépasse pas au-dessus de la haie. Les Lecoq n'étaient pas dans leur jardin, désormais réduit à l'état de terrain vague, mais au salon, où leur porte-fenêtre était restée ouverte. Je me suis immobilisée, collant l'oreille aux buis, et j'ai très clairement entendu Annabelle qui disait :

– On fait comme les autres fois. J'emmène le petit demain après-midi et tu la chopes.

Alors j'ai compris que c'étaient des démons. Ils n'espéraient pas seulement nous faire déménager. Ils voulaient nous voir souffrir, nous empêcher de penser, de nous aimer, fracturer le complexe édifice de notre entente. Ils projetaient notre éradication totale et définitive.

16

Le 12 juillet, vers sept heures du matin, Romaric sortait de chez lui pour se rendre à la Banque
postale de Nogent-le-Perreux, où il exerçait la
profession de conseiller financier, quand il a
trouvé le chat. Nul n'a cherché à savoir, par la
suite, si l'animal avait été empoisonné. Il avait
subi des sévices plus flagrants, et les constatations
se sont bornées à l'évidence. Le chat, au premier
chef, avait été éventré. Des parties de son abdo-
men maculaient sa fourrure, d'autres avaient été
projetées sur la barrière de chantier, retenant
l'attention du passant matinal.

Cécile préparait le petit déjeuner lorsqu'elle
a noté la présence du conseiller financier, pétri-

fié devant sa fenêtre. Intriguée, elle est sortie en pyjama, et s'est attrapé les cheveux en apercevant le massacre. Ses lèvres ont formé un O muet à travers les triples vitrages. De notre cuisine, tu as néanmoins pris la mesure de ce cri silencieux, et tu es allé voir de quoi il retournait. Mon café à la main, j'ai aperçu les Benani, les Dudu et les Lemoine rejoindre votre petit groupe. Enfin les Lecoq sont venus se renseigner. Youssef a soutenu Annabelle quand elle a manqué défaillir, et Franck Lemoine a virilement saisi le bras d'Arnaud pour l'exhorter au courage. Il faisait déjà chaud. J'ai ouvert la fenêtre pour vérifier que mes soucis étaient bien hydratés.

Inès demandait s'il fallait prévenir la police. Les forces de l'ordre ne se donneraient sans doute pas beaucoup de mal pour élucider le meurtre d'un chat. Mais il y avait des lois contre les violences faites à nos compagnons domestiques, s'est insurgé Romaric, qui possédait un fox-terrier. On s'est tourné vers lui : le chien n'y serait-il pas pour quelque chose ? Cette hypothèse arrangeait tout le monde, personne ne se plaisait à imaginer qu'il voisinait avec un tueur de chats. Puis on a de nouveau regardé dans le trou des canalisations. La blessure était atroce, on ne pouvait rester sans rien faire. Patrick a téléphoné à la police.

J'ai préparé un autre café, ainsi qu'on fait dans les moments difficiles, et je vous ai tendu les tasses par la fenêtre. Au bout d'une demi-heure, un véhicule s'est garé au coin de l'allée. Les policiers étaient jeunes, composés d'une blonde et d'un métis – franco-capverdien, avons-nous su après qu'Inès a posé la question, puis aussitôt précisé qu'elle aimait les peuples du monde, d'ailleurs elle votait pour Jean-Luc Mélenchon.

Les policiers n'avaient pas plus envie de mettre le nez dans le chat que vous autres. Ils ont appelé les pompiers, qui ont pris leur temps pour arriver avec un sac-poubelle. L'un d'eux, la mine spécialement dégoûtée, a écarté la barrière de chantier pour descendre dans la fosse, où il a procédé à un examen sommaire. Le pompier a soulevé les bords de la plaie, gratté un peu de sang, et déclaré que l'acte avait été perpétré avec un appareil électrique, scie ou couteau, quelque chose dans ce style. Le fox-terrier semblait hors de cause.

Une fois les pompiers repartis avec le sac-poubelle, les flics ont jeté des regards soupçonneux. Ils semblaient se demander quelle espèce de grands malades était venue repeupler cette banlieue autrefois si tranquille. Nos voisins n'en revenaient pas. Ils portaient sur eux leur innocence. Ne voyait-on pas, à leurs demeures bien tenues, à leurs panneaux solaires, à leur compost, qu'ils pratiquaient la non-violence ?

Non, ce n'était pas chez eux qu'on trouverait le tueur de chat. Il fallait plutôt chercher le long des voies rapides, vers les habitations à loyer modéré. On y voyait les choses les plus étranges tomber des balcons, a certifié Alban Durand-Dubreuil, qui ne devait pas souvent traîner près des grands ensembles. Oui, des frigos, des gazinières, il en pleuvait au bord de l'autoroute, c'est dire si ces gens étaient capables de s'en prendre aux animaux.

Or ce raisonnement ne faisait pas l'unanimité. Patrick, notamment, a voulu savoir par quels détours spécieux il en arrivait à une telle conclusion. Voyant son époux en mauvaise posture, Inès l'a sommé de fournir des explications, et Alban s'est épongé le front en arguant qu'il était maintenant très très en retard, il devait filer au bureau.

L'enquête touchait à sa fin. Les policiers ne savaient manifestement pas comment procéder. Ils pourraient certes en référer à leur supérieur, mais celui-ci se trouvait à Quiberon jusqu'au 15 août – on n'a pas besoin de vous faire un dessin, a statué la blonde en guise d'au revoir.

À ce stade, l'effroi des premières minutes était retombé, et la chaleur devenait franchement pénible. Comme la petite Benani et la cadette des Lemoine, dont j'oubliais toujours les prénoms tant elles se fondaient dans le vaste peuple des jeunes filles ricanantes, s'étaient justement mises à pouffer, Malika leur a commandé de lui apporter un seau et une serpillière. Sous les airs horrifiés de l'assistance, elle a nettoyé la barrière de chantier puis versé le reste de l'eau dans le trou, sur les canalisations ensanglantées, afin de chasser les dernières souillures dans la boue des travaux.

17

La mort du chat a mis un terme aux apéritifs. On se souhaitait le bonjour-bonsoir, mais on ne déployait plus d'efforts pour s'inviter les uns chez les autres. Je t'ai suggéré d'afficher un air moins content. Nos voisins, qui te prenaient déjà pour un ours, te voyaient désormais sortir la poubelle avec un air de perpétuelle satisfaction, et ils commençaient à te regarder de travers.

– Qu'est-ce que ça peut faire puisque je n'ai rien à me reprocher ? me rétorquais-tu avec un sourire plein de dents.

Tu reprenais des forces, à l'évidence. Serrier avait diminué ta posologie avant de prendre son congé estival. Ces phases de transition se révélaient toujours un peu périlleuses. Exalté par une sensation de mieux-être, tu avais tendance à renoncer à toute médication, et l'arrêt brutal du traitement te faisait immanquablement plonger au bout de quelques semaines. Or, cette fois, tu t'es montré raisonnable. Oui, tu te sentais beaucoup mieux, mais pas question de faire n'importe quoi, oh non, tu continuerais à prendre sagement tes pilules jusqu'au retour de Serrier.

Soudain c'est moi qui t'ai regardé de travers. Je me demandais ce que tu mijotais, alors que mes secrets à moi étaient toujours transparents. J'avais fini par te dire, pour Lecoq. Accablée par ta patience, un soir je t'avais avoué que j'avais couché avec lui, sans joie ni autre bénéfice, pas une fois ni deux mais quatre, et tu t'étais encore contenté de sourire, comme si tu savais qu'on en arriverait là, qu'il y avait chez moi cette pente stupide par laquelle je succomberais fatalement à notre pire ennemi, mais que tu ne t'y laisserais pas prendre, toi, et qu'après ma chute tu serais encore debout pour nous venger.

Il faisait toujours aussi chaud. Je travaillais au jardin, les pieds dans une bassine d'eau fraîche. À côté, c'était calme. La saison immobilière battait son plein. On observait systématiquement une hausse tendancielle à l'approche du 15 août, se félicitait Arnaud dans son portable chaque matin, avant de prendre sa voiture qu'il persistait à garer dans l'allée.

Dans son jardin, la terrasse n'avait pas avancé d'un pouce. Les sacs de ciment dormaient au soleil. Je les contemplais à travers les buis quand je levais les yeux de l'écran. Klincksieck avait disparu pour trois semaines dans le Luberon. Je planchais tranquillement sur le projet en son absence. Puis, un matin, j'ai reçu un mail de Bogaert. Comment me portais-je depuis la dernière fois ? s'enquérait-il avec empressement. Pour sa part, il séjournait en famille sur la Côte d'Azur. Mais il rentrerait aux Pays-Bas dans quelques jours afin de régler les affaires courantes, laissant sur la plage femme et enfants. Peut-être aurais-je le temps de faire un saut à Rotterdam à ce moment-là ?

La question était excellente, Nicolaes Bogaert. Je le remerciais de me la poser, tant il est vrai qu'il n'est jamais trop tard, entre personnes de bonne volonté, jamais trop tard pour réfléchir et changer d'avis. À moins bien sûr que ne se dressent devant soi des obstacles incontournables, devais-je néanmoins l'informer, des empêchements qui m'obligeaient à convenir, à mon grand regret, qu'il m'était en l'occurrence très difficile, et même strictement impossible, de prendre le Thalys aux dates qu'il suggérait, m'apprêtais-je à répondre, quand j'ai aperçu le labrador derrière les buis.

90

C'était un chiot très mignon. Il dormait au pied des sacs de ciment. Je ne l'avais pas remarqué jusque-là parce qu'il était demeuré complètement immobile, mais voilà qu'il se réveillait en agitant ses longues oreilles, se dressait sur ses pattes flageolantes pour venir flairer la haie en couinant.

Nous aimions les chiens. Dans la rue, nous les observions avec tendresse, comme souvent les couples qui n'ont pas d'enfant et estiment qu'à tout prendre, un chien constituerait un moyen terme acceptable. De temps à autre, nous rêvions d'en adopter un, vers soixante ans, ce serait notre cadeau de départ en retraite. Ce sujet dépassait rarement le stade de l'évocation. Mais, à une ou deux reprises, nous nous étions plu à imaginer ce chien, et c'était justement un labrador, ou un cocker, ou un chien-saucisse, mais de préférence un labrador. Les chiens de cette race semblaient toujours fidèles, incapables de vous planter un couteau dans le dos comme l'être humain dont c'est en général la première ambition.

Les Lecoq avaient décidément du génie. Sans cesse ils inventaient des idées pour nous doubler. Et puis c'était bien eux de remplacer un animal par un autre, comme si les bêtes étaient aussi interchangeables qu'une chaise ou un pneu. Révoltée, j'ai cliqué sur Envoyer pour dire à Bogaert que j'en avais par-dessus la tête de me mettre en quatre pour des individus si compliqués, et que par conséquent c'était non.

Ensuite je me suis approchée de la haie et j'ai tendu la main vers le chiot. Il m'a léché les doigts, toujours couinant. Je lui ai frayé un chemin à travers les branchages. Il s'est précipité vers moi, frétillant autour de mes jambes. Comme je lui caressais le dos, il s'est renversé pour me montrer son ventre, et je l'ai grattouillé sous les pattes en riant tant ça paraissait lui plaire.

Il a suffi que je rie pour qu'une fenêtre s'ouvre à l'étage. Je n'ai pas eu besoin de lever la tête pour savoir laquelle. C'était Annabelle, forcément, dans la pièce que j'utilisais comme bureau et que les Lecoq avaient aménagée en chambre d'enfant. Annabelle qui me regardait de haut, m'observait caresser son chien, car une fois de plus elle m'avait tendu un piège, et une fois de plus j'étais tombée dedans.

J'ai remis le chiot sur ses pattes et l'ai poussé de l'autre côté de la haie, où il est retourné en geignant, puis j'ai couru chez Cécile.

– Un chien, me suis-je écriée, ils ont un chien.

Mais Cécile était déjà au courant. Le petit labrador s'appelait Toupie. Arnaud se l'était procuré sur Le Bon Coin pour faire taire Annabelle, qui n'en finissait pas de pleurer son chat. J'avais du mal à croire qu'Annabelle fût capable de pleurer, ni pour le chat ni pour rien d'autre. Mais

Cécile a déclaré qu'on devait faire preuve de compassion, même avec les personnes qu'on n'appréciait pas, et j'ai adopté un air de circonstance afin de ne pas la fâcher davantage.

Oui, Annabelle avait beaucoup pleuré, à la mort du chat mais aussi de façon générale. Cécile m'a servi un café, et là, dans sa cuisine, elle m'a confié qu'il y avait de l'eau dans le gaz entre les Lecoq. Elle tenait cette information de Martin Bohat, le fils des retraités du ministère de la Défense qui vivaient cloîtrés au fond de l'allée. Le jeune Bohat était menuisier. Il réalisait des aménagements sur mesure chez plusieurs de nos voisins, et assistait donc aux échanges plus ou moins tendres dans les couples, la femme militant pour telle option tandis que le mari en tenait pour telle autre. Or le jeune Bohat ne possédait pas la discrétion innée de ses parents. Il se faisait au contraire un plaisir de colporter chez les uns ce qu'il avait glané chez les autres. Ainsi, Cécile avait appris que les Lecoq, chez qui Martin réalisait des coffrages au sous-sol, se parlaient à peine depuis des semaines. Annabelle était si déprimée qu'elle n'allait plus à l'agence. Elle restait dans sa chambre, volets clos, sans moufter même quand Bohat tapait du marteau dans la cave.

Si j'avais eu le courage de lever les yeux vers Annabelle lorsqu'elle m'observait caresser son labrador, j'aurais pu affirmer à Cécile que c'était faux. Qu'une larme n'avait jamais roulé sur sa joue perfide, qu'elle était la malignité même et qu'on verrait bien, en fin de compte, qui était innocent dans l'histoire. Mais je comprenais, à l'air inquiet dont Cécile me dévisageait maintenant, qu'il ne fallait pas m'aventurer sur ce terrain sans preuves, ou elle me fermerait sa porte, et qu'alors je me retrouverais sans une alliée à la ronde.

J'ai laissé mon regard errer vers la fenêtre. Les trouées des canalisations béaient à ciel ouvert. Sous la chaleur, la boue craquelait en plaques assoiffées, pourtant le gazon demeurait irréductiblement vert. Il m'a semblé qu'on pourrait toujours en rester là, à mi-chemin de la résolution, sans que la balance penche jamais d'un côté ni de l'autre. Cécile a paru lire dans mes pensées.

– Ça n'avancera jamais, a-t-elle soupiré en reposant sa tasse sur le comptoir. Je me demande si nous n'avons pas fait une mauvaise affaire.

Je l'ai regardée de biais, incrédule. Tous nos voisins étaient toujours contents. Ils avaient gagné en superficie, en verdure, se congratulaient perpétuellement d'avoir eu du flair en élisant notre écoquartier. J'ai fini mon café tiède, lapé le fond de sucre. Cécile m'a raccompagnée à sa porte. Les bords asséchés de la fosse commençaient à s'effriter. Les détritus apportés par le vent s'amoncelaient sur la tuyauterie – mégots, canettes, emballages de cartes téléphoniques prépayées. J'ai marché vers notre maison et, du seuil, je me suis retournée pour lui adresser un signe d'au revoir. Ils allaient encore dire que c'était moi, mais ça sentait un peu bizarre.

18

Tu ne trouvais pas que ça sentait bizarre, tu trouvais que ça sentait normal en plus chaud. Maintenant que le chat était cuit, que la plupart de nos voisins étaient partis en vacances et que les Lecoq avaient quasiment disparu, nous avions toute la place pour nous. Sous le parasol, tu lisais des anthropologues. Tu t'intéressais à la formation des communautés, à leurs mœurs, à la manière dont elles se soudent et se perpétuent, à leur destruction inévitable. Quand je descendais au jardin, tu prenais plaisir à me faire part de tes découvertes. Je te priais de résumer. Seule la dernière phase m'intéressait.

La chaleur était toujours caniculaire. J'étais

remontée travailler dans mon bureau, où j'avais installé un ventilateur et des stores en lattes de bois. De l'autre côté du mur, la tuyauterie glouloutait de temps à autre, suggérant qu'Annabelle se rafraîchissait ou donnait le bain à son fils. Mais je ne l'entendais plus jamais glousser par la lucarne ou monter le son d'affreuses émissions télévisées.

Dans le transat, tu tournais avidement les pages d'Éric Chauvier, laissant échapper des exclamations réjouies au détour de certaines phrases. J'entrouvrais les lattes du store pour observer tes mimiques. Tu t'inventais un petit théâtre, esquissant de grands gestes et lisant à voix haute des extraits que nos voisins eussent sans doute peu goûté s'ils en avaient percé la substance, mais que tu ne craignais pas de proférer avec emphase, persuadé que nous seuls dans le périmètre avions accès aux sphères supérieures de la pensée. Tu me faisais rire. La plupart du temps, tu traînais en short, un modèle assez seyant qui laissait voir tes longues cuisses mates, tes jambes poilues, tes beaux pieds dont tu prenais grand soin. En haut, tu ne portais rien, et je m'étonnais que tu parviennes à conserver ces six carrés d'abdominaux alors que tu ne foutais rien à part lire Éric Chauvier dans le transat.

Les journées commençaient à raccourcir. Vers vingt heures, je levais le store pour regarder le soleil sombrer sous la haie. Puis j'entendais la voiture d'Arnaud se frayer un chemin le long de la barrière de chantier. Il laissait tourner le moteur afin que sa présence ne demeure ignorée de personne, éternuait à grand bruit, claquait derrière lui les portières et les portes. Il avait besoin d'occuper un maximum d'espace sonore, d'exister fortement dans toutes les dimensions de la vie.

Par les fenêtres ouvertes, on entendait soudain des raclements d'ustensiles, un grand chambardement, des jappements aigus. Toupie passait désormais ses journées au sous-sol. On ne le laissait sortir que le soir. Fou d'accéder à l'air libre, le chiot gambadait autour de la haie, sautait après les papillons, mordillait l'herbe que ses petits crocs ne réussissaient pas à entamer. Au bout d'un moment, il se calmait pour venir flairer les sacs de ciment, la pelle et la houe abandonnées près de la bétonnière, que l'entrepreneur avait fini par déposer. Après quoi il approchait des buis entre nos deux jardins. Et il t'appelait, poussait des geignements pitoyables jusqu'à ce que tu sortes du transat pour faire comme moi le premier jour, t'agenouiller et lui prodiguer des caresses du bout des doigts.

Le petit labrador était de moins en moins petit. Privé d'exercice dans la cave, abondamment nourri, il épaississait à vue d'œil et donnerait bientôt un bon gros chien. C'est la réflexion que je me suis faite, de mon bureau à l'étage, quand tu as regagné le transat, presque nu ainsi que je l'ai dit, et que Toupie a clopiné tête basse vers les sacs de ciment. Puis ses oreilles se sont plaquées sur son crâne et il s'est aplati au sol avec effroi.

J'ai tourné la tête, aperçu Arnaud dans l'angle du jardin. Il se tenait dans la diagonale du parasol, parfaitement immobile, et il te fixait, il te matait tant et si bien qu'il en oubliait d'être prudent. S'il avait levé les yeux, il m'aurait certainement aperçue à la fenêtre. Mais son regard demeurait braqué sur toi, ses bras pétrifiés le long du corps, jusqu'à ce que sa main remonte vers sa ceinture, qui a paru le serrer. Il en effleurait la boucle quand un hurlement a brisé son geste – l'enfant, ou Annabelle qui avait laissé brûler je ne sais quoi –, et Arnaud est rentré se joindre au concert.

J'ai quitté ma chaise. Le sol avait perdu en consistance. Dans la salle de bains, je me suis frictionné le visage à l'eau froide, puis je suis sortie sur le balcon de notre chambre pour observer l'allée, vérifier que les maisons de Cécile et Patrick, des Dudu, de Romuald et Romaric, des Bohat tenaient encore debout. Les maisons étaient bien visibles, fermement plantées sur la pelouse. L'asphalte crevé béait toujours à ciel ouvert. Une brise agitait les détritus au fond de la tranchée. Mais cette fois j'aurais pu jurer que ça sentait vraiment bizarre.

19

Je n'ai pas eu l'occasion d'élucider les tenants et aboutissants. Trois jours après que j'avais insisté sur le fait que ça sentait vraiment, mais vraiment très bizarre, soit trois jours après que tu avais renoncé à me persuader du contraire, un pick-up s'est avancé dans le maigre couloir entre la tranchée et le trottoir des Lecoq, et il s'est garé à la place de leur voiture, qu'Arnaud venait d'emprunter pour se rendre à l'agence. Deux hommes sont descendus. Ils ont ouvert le hayon, chargé des sacs sur des diables, et ils les ont poussés jusqu'au jardin à travers la maison. Tu as bondi hors du transat pour me rejoindre dans mon bureau, d'où nous avons observé le spectacle.

Les hommes achevaient de déblayer le terrain. Ils balançaient tout ce qui traînait dans les buis – grille de barbecue, jouets en plastique, piscine gonflable – avec si peu d'égards qu'ils semblaient avoir reçu l'instruction de ne pas se préoccuper de ces objets sans avenir. Ayant fait place nette, ils ont dessiné l'emplacement de la terrasse au cordeau, une surface d'environ dix mètres carrés. Puis ils se sont emparés de la pelle et de la houe, et ils ont creusé. La terre voletait vers notre jardin, formait un monticule qui bouchait les trouées de la végétation. Je m'accrochais à cette idée pour ne pas voir le désastre, le nuage de particules que le vent entraînait dans notre direction, la poussière qui se déposait sur nos jolis meubles d'extérieur en acacia. J'ai essayé de ne pas penser que je les avais moi-même huilés au pinceau, avec un produit écologique respectueux du bois et de nos bronches, de toutes mes forces j'ai essayé de ne pas penser.

La journée entière, ils ont creusé. De temps en temps, ils jetaient leurs outils n'importe où et se postaient devant la baie vitrée pour réclamer à boire, des sandwiches. Une main leur tendait ce qu'ils désiraient. Ils mâchaient avec application, avalaient quelques goulées de bière et recommençaient à creuser.

En fin d'après-midi, ils se sont plantés au bord du trou pour admirer le travail, un carré profond d'une quinzaine de centimètres. Après quoi ils sont retournés au pick-up, et nous avons couru sur le balcon pour voir ce qu'ils en extrayaient cette fois-ci. C'étaient de longues planches. Repassant par l'intérieur, ils les ont transportées au jardin, où ils ont déroulé une bobine de fil pour mettre en route la scie électrique. Quand le bois a été sectionné aux bonnes dimensions, ils ont coffré le trou avec quatre planches ajustées à angle droit, et ils sont repartis.

Notre regard s'est détaché de l'ouvrage pour errer vers la montagne de terre et de sciure, les rebuts qui s'infiltraient par les interstices des buis pour se déverser dans notre jardin, comme s'il n'était rien d'autre qu'un espace sauvage dont on ferait tôt ou tard la conquête. J'ai dit :

– Ils n'ont pas le droit.

Et tu as hoché la tête. Bien sûr qu'ils n'avaient pas le droit. Mais s'agissait-il de loi morale ou de loi législative, et à quelle instance fallait-il en référer pour faire rétablir la justice, nous n'en savions rien. À tout hasard, j'ai appelé la police. Aussi calmement que possible, j'ai présenté notre problème, expliqué que nos voisins construisaient une terrasse sans respecter nos biens ni notre tranquillité, et on m'a répondu, ma petite dame, qu'on avait parfaitement le droit de construire des terrasses aux heures ouvrables, et que, si j'en éprouvais du désagrément, il fallait m'en ouvrir à mes voisins.

L'idée ne m'avait même pas effleurée. J'étais si terrifiée par les Lecoq que je ne pouvais plus entretenir avec eux une conversation normale, faire entendre posément mon point de vue comme avec n'importe qui d'autre. Mais tu as insisté pour qu'on leur parle.

À l'heure habituelle, la voiture s'est garée dans l'allée. Arnaud en est sorti en éternuant comme un diable, claquant tout ce qu'il pouvait derrière lui. Quand nous sommes arrivés devant chez eux, les échos d'une violente dispute filtraient à l'avant de la maison. Elle avait lieu dans la cuisine, mais la fenêtre était fermée, nous ne distinguions pas les paroles. J'ai pensé au soir où j'avais brisé la marmite en fonte et où Annabelle était venue se plaindre du bruit, où elle avait eu le front de prétendre qu'elle n'arrivait pas à endormir son fils alors que celui-ci somnolait justement dans ses bras au moment où elle venait se plaindre. Je me suis rappelé mon désarroi. J'ai songé à la fraction identique d'humanité qui se trouvait enfouie en chacun de nous.

– Viens, je t'ai dit, on repassera plus tard.

Mais tu pressais déjà la sonnette. Les cris ont cessé aussitôt, pourtant tu as continué de sonner, le doigt vissé au bouton. Ça s'entendait de l'extérieur, c'était insupportable et c'était ce que tu voulais, tu n'as pas relâché la pression jusqu'à ce qu'on nous ouvre.

Ils étaient tous les trois, Arnaud, Annabelle, le gamin. Ils avaient le visage égaré, sous les yeux des cernes et des poches, mais ils faisaient bloc. Sans dire un mot, ils ont attendu qu'on débite notre petit discours. Nous l'avions mal préparé. En phrases décousues, nous avons expliqué que les travaux causaient beaucoup de bruit et de poussière, il fallait voir notre jardin, on était complètement envahis, ce n'était pas possible.

— On termine demain, a répondu Arnaud sur le ton cordial dont il ne se départait jamais, après on nettoie tout.

C'était un bon commerçant. Il savait amadouer la clientèle. Puis Annabelle a renchéri :

— Il faut bien que les gens vivent. Si vous aviez eu des enfants, vous sauriez ce que c'est que la vie.

J'ai songé à la fraction identique d'humanité et, de moi-même, je l'ai mise sur le compte de mon imagination. Un brouillard se formait devant mes yeux. Ce devait être la faim, la fatigue. Je ne me sentais plus très bien lorsque, à travers une épaisseur de coton, je t'ai entendu menacer :

— Écoute-moi bien, salope : soit tu te calmes, soit c'est moi qui vais te calmer.

Les Lecoq n'ont pas bronché. Ils nous ont toisés. Un léger sourire de mépris ou d'autre chose a flotté sur les lèvres d'Arnaud. Et très lentement il a refermé la porte, la retenant une dernière seconde avant de la claquer sous notre nez.

20

Les hommes sont revenus à la première heure. Au fond du trou, ils ont déversé de la pierraille et du sable, positionné un treillis métallique sur l'ensemble, et ils ont lancé la bétonnière. La machine a englouti l'eau, le gravier, le ciment, pour produire en quelques minutes une matière grise et gluante. À la brouette, ils l'ont transportée vers le trou, et ils ont commencé à couler le béton côté façade en progressant vers le jardin.

Nous nous étions réfugiés dans la chambre. Il n'y avait aucun signe de vie dans l'allée sinon, par-dessus le tonnerre du chantier, des hurlements d'enfant et de chien de l'autre côté du mur, et encore par-dessus les cris de la mère. J'aurais voulu me cogner la tête contre le carrelage de la salle de bains. Dans l'armoire à pharmacie, tu as repris deux cachets, plus un autre que tu m'as tendu. Je l'ai avalé avec gratitude.

La bétonnière continuait de tourner, produisant toujours plus de matière gluante. Mais, à la fin de la journée, les deux hommes avaient fini le gros œuvre. Ils ont lissé la dalle à la taloche et fait leurs adieux. Nous sommes descendus au jardin. Un nuage épais flottait autour de nous, maintenu en l'air par la chaleur. En toussant, nous avons examiné les dégâts, nos possessions couvertes d'une substance poisseuse, l'herbe pétrifiée sous la poudre de ciment. Arnaud avait beau dire, il serait impossible de nettoyer, si tant est qu'il en ait jamais eu l'intention. J'ai dit :

– Ça suffit, on déménage.

Et tu n'as rien répondu. Cela faisait à peine un an que nous remboursions notre crédit. Il faudrait voir la banque, l'assurance, et trouver un nouvel appartement, un défi au vu de la conjoncture. Nous n'ignorions rien des difficultés que rencontraient les personnes qui cherchaient à se loger. Arnaud s'en félicitait en permanence. Depuis que nous avions acheté, les biens disponibles s'étaient considérablement raréfiés, et la pénurie autorisait les agences immobilières à faire la loi sur le marché. Toute la soirée, nous avons échafaudé des plans. Sur internet, nous avons étudié les prix, pondéré en fonction des équipements dont nous disposions – espaces verts, isolation thermique haute performance, panneaux solaires, etc. Après avoir examiné des centaines d'annonces, nous avons retrouvé un peu d'espoir. Il semblait qu'on pouvait tirer de notre maison un bon petit prix.

C'est alors qu'a éclaté la détonation. Quelque chose venait de sauter dans la cave mitoyenne, secouant nos murs. Des cris se sont élevés, les voix d'Arnaud et d'Annabelle s'invectivant à pleins poumons. C'était un cran plus haut que d'habitude. Elle poussait des cris suraigus et il l'injuriait, sa voix si forte que je l'ai imaginé hurlant à deux centimètres de son visage, l'empoignant par les cheveux pour lui faire dieu sait quoi. Nous avons entendu des meubles se renverser, des objets valser contre le mur. J'ai craint pour l'enfant. J'ai rappelé la police.

Ils m'ont écoutée avec lassitude, mais vingt minutes plus tard ils étaient là, le Franco-Capverdien et un nouveau, franco-français qui ne ressemblait à rien. Bien sûr, le tumulte s'était calmé entre-temps. Par la fenêtre de la cuisine, j'ai entendu Annabelle glousser que non, tout allait bien, et qu'une détonation ? Certainement pas. Elle avait seulement laissé tomber sur le carrelage une marmite en fonte, ça avait fait un sacré boucan – les policiers pouvaient entrer pour vérifier, s'ils voulaient. Elle s'est même avancée sur la pelouse afin de leur céder le passage, et je l'ai vue se dandiner en microshort devant eux. Puis, l'air de rien, elle a demandé qui les avait prévenus. Et, avant qu'ils aient eu le temps de répondre, elle a conclu d'elle-même que ce devait être «les tueurs de chats».

Les flics sont bientôt repartis. Sans doute ont-ils aperçu nos silhouettes derrière la fenêtre car, en repassant devant chez nous, ils ont jeté un regard dégoûté sur mes soucis, et, avant de remonter dans leur véhicule, celui qui était déjà venu pour le chat a déclaré à son collègue que nous étions «tous des maboules».

21

J'ai commencé à faire les cartons. À aucun moment je ne pourrais compter sur toi. Toute perspective de déplacement te paralysait des pieds à la tête. Il faudrait faire abstraction de ton grand corps immobile jusqu'à ce que je trouve un logement où tu parviendrais enfin à te détendre. Serrier rentrait dans quelques jours. D'un commun accord, nous avons doublé ta posologie en l'attendant.

Les affaires que j'avais déballées quelques mois plus tôt ont repris leur forme de momie. Dans des bandes de papier, j'ai enveloppé la vaisselle, les livres rares, et je les ai déposés dans leurs sarcophages en carton. Puis j'ai scellé les boîtes. Une inscription lisible de moi seule indiquait leur contenu. Ainsi je m'assurais que nos objets pourraient ressusciter en de nouveaux lieux.

Les Lecoq étaient rentrés dans leur terrier. Seule la présence intermittente de la voiture indiquait qu'ils vivaient toujours là. Plus un éternuement, plus une porte claquée ou un jappement. Mais, dès que nous avions le dos tourné, des nouveautés faisaient leur apparition au jardin. Autour de la terrasse s'accumulaient maintenant des dalles en plastique adhésives, de la toile de jute, et ce qui ressemblait à de la chaux.

J'ai accéléré les préparatifs. À la fin du mois d'août, j'avais vu la banque et visité une dizaine d'appartements, tous plus affreux les uns que les autres. Nos voisins revenaient de vacances. Tout bronzés, Cécile et Patrick remontaient de la Drôme pour accueillir leurs enfants, expédiés au début du mois en séjour linguistique. Autour d'une tarte aux prunes, les adolescents m'ont raconté avec enthousiasme comment ils n'avaient pas appris un mot de la langue locale à Exeter ni à Pampelune, et comment ils avaient en revanche ingéré toutes sortes de substances sur lesquelles ils ne souhaitaient pas s'étendre devant leur mère, m'ont-ils chuchoté quand celle-ci a disparu aux toilettes, mais dont ils pouvaient m'affirmer qu'elles étaient top, je devrais essayer, j'avais mauvaise mine.

Les Durand-Dubreuil rentraient de Pornichet, les Benani de Lacanau, les Lemoine de Port-Barcarès, Romuald et Romaric du Cap d'Agde. Ils étaient tous contents. Ils avaient tous pris des résolutions – non, cette fois ils ne se laisseraient pas avoir par le rythme effréné du quotidien, ils sauraient prolonger la béatitude atteinte à la faveur de leurs congés – et ils trouvaient tous que j'avais mauvaise mine.

Je n'ai pas fait de mystères. Au premier apéritif concocté par Inès, j'ai dit qu'on partait. Nos voisins m'ont dévisagée avec stupeur. Comme je n'avais aucune envie de m'étaler, je me suis bornée à des renseignements factuels – le prix du mètre carré, les délais avant la signature chez le notaire. Puis les calamars au chorizo d'Inès ont fourni une diversion. Tout le monde s'est exclamé qu'ils étaient délicieux, et des conversations personnelles se sont nouées en différents points du jardin. Je traînais près des buis avec Cécile quand elle a prononcé le nom des Lecoq. Aussitôt, je l'ai informée que nous ne ferions pas appel à leurs services pour la vente.

– Non, a répondu Cécile, je pensais à eux parce que, la semaine prochaine, c'est la rentrée, et personne n'a vu Annabelle ni Léo depuis juillet.

Je l'ai fixée d'un air vide. Cécile paraissait attendre quelque chose de moi, une explication, un commentaire. J'ai objecté que leur voiture était toujours stationnée dans l'allée.

– Oui, mais Arnaud part à la première heure et rentre tard, je n'ai pas eu l'occasion de lui parler.

Irritée par cette soudaine sollicitude envers les Lecoq, je lui ai rétorqué que, si elle était tellement inquiète, elle n'avait qu'à sonner à leur porte, la lumière était allumée. Cécile m'a contemplée un instant, comme si elle m'offrait une dernière chance de parler, et elle a conclu que c'était une bonne idée, elle allait faire un saut chez eux. J'ai traîné seule dans le jardin des Dudu, essayant de me raccrocher aux conversations. On m'envoyait des regards bienveillants mais on ne faisait aucun effort pour ouvrir le cercle. Je n'appartenais déjà plus à la communauté.

Cécile est revenue au bout de vingt minutes. Elle avait trouvé Arnaud seul chez lui, très détendu. Il lui avait montré la nouvelle terrasse, les dalles plastifiées dont on la couvrirait une fois que le béton serait sec. Puis il lui avait spontanément annoncé qu'Annabelle séjournait chez sa mère, à Dijon. Oui, Arnaud semblait très détendu. Il venait de réaliser plusieurs estimations pour des appartements en centre-ville, il avait bon espoir que les vendeurs lui confient leur bien. Cécile avait posé quelques questions adroites sur la famille d'Annabelle. Elle espérait que rien de grave ne s'était produit, ou que la jeune femme n'avait pas dû s'absenter en raison d'un parent malade. Mais non, tout le monde se portait bien. Annabelle ne tarderait pas à rentrer.

22

Or, à la rentrée des classes, Annabelle n'avait toujours pas reparu. Inès a été la première à s'alarmer. Elle aussi possédait un enfant scolarisé en maternelle. Avant l'été, elle était convenue avec Annabelle de se rendre ensemble à l'école le matin afin d'habituer les petits, puis que l'une ou l'autre viendrait les chercher l'après-midi. Lejour de la rentrée, les parents parlementaient au milieu du gué tandis que les enfants s'égaillaient sur la pelouse quand tout le monde l'a entendue déclarer à Arnaud :

— Je veux bien que ta femme soit chez sa mère, mais même dans son bled il doit y avoir du réseau

114

et son portable ne répond jamais, c'est quand même fort de café.

– Peut-être qu'elle n'a pas envie de te parler, lui a rétorqué Arnaud en montant dans sa voiture.

– Toi, c'est la dernière fois que tu te gares devant chez nous, a répliqué Inès en pointant vers lui un index menaçant.

De fait, après qu'il a démarré, elle a tiré à travers le gué deux gros pots où poussaient des semis biologiques, et elle les a positionnés de telle sorte qu'il était maintenant impossible de stationner à cet endroit.

Cette dispute allégeait un peu mes maux. Plus je visitais d'appartements, plus j'avais l'impression que nous serions bientôt condamnés à errer dans une espèce de purgatoire immobilier, sans jamais trouver à nous reloger correctement. Puis, quand trois jours se sont encore écoulés sans qu'Annabelle donne signe de vie, la tension est montée d'un cran.

En rentrant du travail le vendredi soir, Youssef est tombé sur Arnaud, et celui-ci l'a informé qu'il venait de prévenir la police. Oui, il s'était chamaillé avec Annabelle fin août, à la suite de quoi elle était partie chez sa mère avec Léo. Ça leur arrivait de temps en temps. Leur solide alliance craquait de l'intérieur, alors elle prenait le large et, au bout de quelques jours, c'était reparti comme en 14.

Annabelle s'était donc rendue chez sa mère à Dijon. Elle avait coupé son portable, mais Arnaud appelait régulièrement sur le fixe pour vérifier que, même si elle refusait de lui parler, tout le monde allait bien. La mère d'Annabelle se prénommait Guilaine. Elle tenait une boutique de prêt-à-porter de l'enseigne Armand Thiéry en centre-ville. Les affaires tournaient à plein malgré la crise du commerce de détail due à l'essor de la cyberdistribution, car Guilaine était une gérante avisée, sachant optimiser son stock et valoriser la cliente sans en faire des tonnes. Son mari était mort d'un infarctus à quarante-cinq ans, Annabelle venait de quitter la maison. Quelques années plus tard, Guilaine s'était remise en couple avec Francis, un entrepreneur dans le bâtiment qu'elle avait rencontré sur internet. Une fois, elle avait aussi participé à une émission de relooking sur M6. On cherchait une personnalité pétulante en région, et les chargés de production avaient tout de suite craqué sur elle. C'est donc dans sa boutique que l'animatrice était venue rhabiller les Dijonnaises en mal de style. Guilaine leur proposait des tenues et formulait des commentaires bien sentis pendant que l'animatrice se pâmait d'admiration. Le temps d'une émission, elles avaient formé un duo plein de peps, et l'épisode avait obtenu un très bon score à l'audimat, avait précisé Arnaud à Youssef.

Or ces précisions n'intéressaient pas tellement Youssef. Il aurait préféré qu'Arnaud se concentre sur l'essentiel. Mais ce dernier paraissait si troublé qu'il se perdait continuellement dans des détails sans importance. Tout de même, Youssef a fini par saisir qu'après une semaine chez sa mère, Annabelle, au lieu de reprendre le train, avait loué une voiture pour rentrer avec le petit, mais qu'elle n'était jamais arrivée à destination.

Dès qu'elle s'était mise en route, Guilaine avait téléphoné à Arnaud pour le prévenir que sa femme rentrerait en fin d'après-midi. Lecoq ne s'était pas inquiété quand elle avait eu une, puis deux heures de retard. Annabelle aimait se faire désirer. Elle s'arrêtait dans les stations-service, traînait dans les rayons, des chauffeurs routiers lui tournaient des compliments et ça la rassurait. Mais, à minuit, comme il n'avait toujours aucun signe d'elle, il avait rappelé Guilaine, qui s'était affolée. Le portable d'Annabelle était toujours coupé, on n'avait pas moyen de la joindre. Ils avaient téléphoné à la police, aux urgences des divers départements qu'elle devait traverser. Au matin, on n'avait pas plus de nouvelles.

La police avait tendance à ne pas trop s'inquiéter quand une femme ou un mari se volatilisait. Ils mettaient ça sur le compte d'une dispute un peu corsée. Et en effet, après quelques jours, le conjoint manquant finissait en général par réapparaître de lui-même. Mais s'il y avait un enfant dans l'histoire, c'était autre chose. Qu'il arrive quoi que ce soit et l'opinion ne pardonnerait pas leur négligence. Non, on ne prenait aucun risque avec les enfants.

Ainsi, Lecoq avait dû faire face à beaucoup de questions tout au long de la journée, de sorte qu'il était fourbu, pas vraiment lui-même quand il avait croisé Youssef près du gué. Ce dernier ne s'était pas précipité pour tout raconter à tout le monde. Il avait simplement partagé l'information avec Malika, et, le lendemain, envoyé à Arnaud un message où il lui disait que tous deux pensaient à lui, et qu'ils priaient pour une issue prompte et heureuse. Moyennant quoi Lecoq avait juste eu le temps de répondre qu'on l'emmenait en garde à vue.

Alors les Benani ont parlé. La nouvelle s'est répandue comme une traînée de poudre, si bien que, le soir même, Patrick et Cécile ont organisé une réunion pour faire le point. Quand je suis montée dans la chambre afin de t'exposer la situation, tu es sorti de ta torpeur et tu as déclaré que tu venais avec moi. Je t'ai aidé à descendre les marches, puis tu m'as pris le bras pour traverser le gué. Clopin-clopant, nous sommes arrivés dans le salon des Taupin. Nos voisins se trouvaient déjà là. Ils avaient apporté du vin, et Franck Lemoine a aussitôt débouché une bouteille pour nous remettre d'aplomb.

– Oui, Arnaud se perd dans des détails sans intérêt. À moins qu'il ne cherche délibérément à nous égarer ? a suggéré Romuald.

Romuald aimait beaucoup Annabelle. Il la complimentait sans cesse sur ses tenues « foldingues », son esprit « piquant », et je devais me cramponner à mon siège pour ne pas tomber à la renverse chaque fois qu'il proférait ces aberrations.

– C'est toujours le conjoint qu'on soupçonne en premier, s'est insurgée Inès, qui semblait chatouilleuse sur le sujet. Surtout s'il y a eu une dispute, c'est trop facile. Enfin ce type ne m'a jamais inspiré confiance, a-t-elle tempéré pour ménager la chèvre et le chou, au cas où Arnaud aurait effectivement quelque chose à se reprocher.

On a évoqué des pistes, cherché des signes avant-coureurs. Comme nous étions les seuls, à part les Lecoq, à ne pas avoir pris de vacances, l'assemblée s'est tournée vers nous pour savoir si nous n'aurions pas observé quelque mouvement suspect. Or tout ce que faisaient les Lecoq nous était suspect par définition. Afin de ne pas détourner inutilement l'attention, nous avons minimisé. D'une voix empesée par les médicaments, tu as raconté la construction de la terrasse, admis qu'on avait entendu des disputes, en vérité assez fortes, mais quel couple ne se chamaillait pas quand il réalisait des travaux ? J'ai hoché la tête et ajouté que je me demandais bien, malgré tout, où était passé le petit labrador.

– C'est vrai qu'on n'a pas revu le chien, s'est exclamé Romaric, comme s'il s'en apercevait à cet instant alors qu'il avait tiré une tête longue comme le bras, en juillet, quand on lui avait annoncé l'arrivée de Toupie, le mignon petit animal venant faire une concurrence déloyale à son stupide fox-terrier.

– Vous vous rappelez le chat ? a coupé Aude Lemoine, qui ne disait jamais rien, et tout le monde l'a regardée comme si elle venait de mettre le doigt sur une circonstance accablante.

– Pas de précipitation, s'est écrié son mari, déjà ivre, et chez qui la boisson stimulait un humour assez discutable. On n'a pas encore retrouvé Annabelle découpée à la scie sauteuse.

Aude lui a jeté un coup d'œil glacial, et Franck s'est repris. C'était un assez bel homme, sportif, plutôt sympathique quand il se tenait éloigné de la bouteille.

– À l'heure actuelle, a prononcé Malika, il n'y a aucune raison de penser qu'il lui est arrivé quoi que ce soit. Et, si Annabelle a éprouvé le besoin de disparaître quelque temps, a-t-elle ajouté sur un ton solennel, elle avait sûrement une bonne raison.

120

– Je me suis déjà demandé si Arnaud pouvait être violent, a glissé Cécile d'une voix hésitante, et Malika a branlé du chef pour manifester qu'elle s'était posé la même question.

– Vous n'avez pas le droit d'affirmer une chose pareille sans preuves, a rugi Patrick. Ce type est un con, tout le monde le sait, mais il ne faut pas céder à la calomnie.

– On n'affirme rien, on échange, lui a sèchement rétorqué Cécile.

– En tout cas, c'était une bien belle femme, a divagué Franck Lemoine en se resservant du vin.

Comme la conversation menaçait de dégénérer, ceux qui avaient le moins bu ont entraîné les autres vers la sortie. Tu as repris mon bras et nous sommes rentrés chez nous, où tu es tout de suite monté te coucher. J'ai traîné un peu en bas. Dans le jardin, une lune trouble éclairait nos plantations fossilisées, le mobilier à l'abandon. J'ai tiré les rideaux pour masquer cette vision de ruine, puis je suis allée te rejoindre. Tu respirais régulièrement à mon côté, plongé dans le sommeil. Alors, pour m'endormir, j'ai imaginé des scénarios, et je me suis représenté nos voisins faisant de même, bien au chaud dans leurs lits, laissant libre cours à leurs fantasmes les plus fous mais tous persuadés, au fond d'eux, qu'Annabelle ne tarderait pas à réapparaître, avec son sourire ultrabright et une solide explication.

23

Arnaud Lecoq est rentré chez lui le surlen-
demain, blanchâtre, à bout de nerfs. Une nuit a
encore passé avant qu'il ne mette le nez dehors. Il
tentait de filer en douce à l'agence quand Patrick
l'a intercepté, réclamant des nouvelles. Or il n'y
en avait aucune. On ne savait pas où se trouvait
Annabelle, point à la ligne. Lecoq s'est dégagé du
bras qui pesait sur le sien et il est monté dans sa
voiture, abandonnant Patrick bras ballants sur le
gué. Cécile a invectivé son mari depuis sa fenêtre.
Il aurait dû la laisser faire. À cette heure, on serait
tous mieux renseignés. Il a donc fallu attendre le
soir pour que Lecoq, coincé par Malika devant sa

boîte aux lettres tandis que j'épluchais des topinambours à la cuisine, se mette enfin à table.

Il n'était coupable de rien, si c'est ce que vous voulez savoir. Il ne le pouvait pas, c'était matériellement impossible. Et même s'il n'avait aucune raison de se justifier, il allait lui expliquer le pourquoi du comment, puisque tout le monde était si curieux dans cette allée où, non content de vous envahir, on mettait sans arrêt le nez dans vos affaires, et où on vous sommait par-dessus le marché de fournir des explications, a vociféré Lecoq.

L'épluchage des topinambours est un exercice fastidieux. On en mangeait pendant la dernière guerre parce qu'il n'y avait rien d'autre à se mettre sous la dent. Et, si l'on a redécouvert récemment la fine saveur de ce légume ancien, on comprend aussi pourquoi il a été longtemps délaissé. Je n'avais jamais préparé de topinambours. Je m'y prenais comme un manche. C'est ainsi que j'ai pu savoir comment Arnaud était innocent.

Annabelle avait passé une semaine revigorante chez sa mère. On avait interrogé Guilaine, on avait interrogé Francis, on avait interrogé Mme Parlax, la voisine de Guilaine et Francis. Tous avaient témoigné qu'elle passait l'essentiel de ses journées au jardin, jouant et pouffant avec Léo. Mme Parlax avait attesté qu'Annabelle pouffait beaucoup. À un moment, elle en avait même été gênée, mais pas au point de lui vouloir du mal, avait-elle précipitamment ajouté.

Puis, le jeudi 6 septembre en début d'après-midi, Annabelle s'était mise en route pour la région parisienne. Les caméras de surveillance de la station Shell d'Auxerre avaient enregistré sa présence dans le magasin entre 16:43 et 17:17. On la voyait successivement emmener Léo aux toilettes, acheter une boisson chaude au distributeur, se promener parmi les rayons. Elle avait ensuite repris le volant, utilisé sa carte bancaire au péage de Fleury-en-Bière à 18:12, après quoi on perdait sa trace. Annabelle avait pu sortir n'importe où entre Fleury et le périphérique, sa voiture n'avait plus été repérée nulle part. En revanche, on avait retrouvé son téléphone et sa carte bancaire. Un gamin les avait découverts sur un terrain vague du quartier de la Capsulerie, à Bagnolet, en Seine-Saint-Denis. Il les avait remis à sa mère, qui, ne sachant quoi faire de ces articles, les avait déposés au Franprix du coin, où l'on avait prévenu le commissariat.

Or il y avait, dans ce paysage apocalyptique en contrebas de l'A3, parsemé de tours en déliquescence et de chantiers de construction, beaucoup de personnes à interroger. C'était l'habitat d'innombrables dealers. S'ils savaient quelque chose à propos d'une jolie minette blanche, de son gosse ou de sa voiture de location, ils avaient intérêt à parler afin qu'on les laisse vaquer en paix à leur business. Mais on avait malmené tous ceux sur lesquels on avait pu mettre la main, tous avaient juré-craché devant le portrait d'Annabelle qu'ils n'avaient jamais vu une meuf pareille dans le secteur.

La police a rapidement acquis la certitude que celle-ci n'avait pas mis les pieds à la Capsulerie. Sans doute l'avait-on attaquée ailleurs – à moins, bien sûr, qu'elle n'ait choisi de disparaître volontairement – avant d'abandonner ses affaires sur ce territoire où le crime se noyait dans le crime.

Restait Arnaud. Qu'avait-il fait entre le moment où Annabelle avait quitté la maison maternelle et minuit cinq, heure à laquelle il avait prévenu la police ? Eh bien son emploi du temps était clair comme de l'eau de roche. Jusqu'à vingt heures, il se trouvait à l'agence, divers clients l'attestaient. En fin de journée, il avait même contresigné une offre pour un souplex en face du RER, dans un immeuble dont les parties communes tombaient en ruine et le toit prenait l'eau. C'était une vente inespérée, mais l'acheteur comptait rentabiliser son investissement en louant à des travailleurs immigrés, Arnaud ne se faisait aucun souci pour lui, a-t-il rassuré Malika.

Comme il n'avait toujours pas de nouvelles de sa femme, Lecoq avait décidé de dîner à l'extérieur. Il s'était rendu au Voltigeur et venait de commander un faux-filet frites quand Franck Lemoine, qui rentrait de son cabinet de kinésithérapie par le RER, lui avait fait signe depuis la rue. Arnaud l'avait invité à le rejoindre. Les deux hommes avaient entamé la causette, et Lemoine avait prévenu son épouse qu'il ne rentrerait pas dîner.

Jusqu'à vingt et une heure trente, on les avait aperçus, absorbés dans un intense bavardage. Ils avaient ensuite quitté l'établissement. Mais ils ne s'étaient pas tout de suite dirigés vers l'allée, car Aude Lemoine n'avait pas revu son mari avant minuit. Alors Lemoine avait avoué. Il avait révélé à la police l'endroit où il s'était rendu avec Lecoq dans l'intervalle, les enquêteurs avaient vérifié et paru satisfaits, mais il ne fallait pas compter sur Arnaud pour dévoiler ce lieu à Malika parce que Mme Lemoine n'aurait pas été contente, vraiment pas contente du tout, et lui, Lecoq, à l'inverse de tout le monde dans cette allée, savait faire preuve de tact, non, il ne fallait pas compter sur lui pour commettre des indiscrétions.

Comme il avait terminé son récit, Malika lui a saisi les mains pour l'assurer qu'elle priait, avec Youssef, pour le retour imminent d'Annabelle. Puis elle a demandé où était passé le petit labrador.

– À la SPA, a répliqué Arnaud. Si tu crois que j'ai besoin d'un chien dans les pattes en ce moment.

J'avais fini d'éplucher les topinambours. Je les ai plongés dans la marmite où j'avais fait fondre un oignon, ajouté quelques pommes de terre, un trait d'huile d'olive. En attendant que ça cuise, je me suis servi un verre de vin. Puis j'ai passé le tout au mixeur, et je suis montée te chercher dans la chambre. La soupe était très réussie. Après quelques lampées, je t'ai rapporté ce que j'avais appris par la fenêtre ouverte. J'avais presque fini de raconter quand nous avons vu cinq agents de police – le Franco-Capverdien, la blonde, le jeune sans signe distinctif et deux nouveaux – passer devant cette fenêtre pour sonner à notre porte. Je suis allée ouvrir, mais c'est toi qu'ils voulaient. Par la suite, j'ai eu beau plaider que tu n'étais pas en état de les accompagner, les supplier de me laisser venir avec toi, ils n'ont rien voulu entendre, et ils t'ont passé les menottes.

24

Je me suis effondrée au milieu des cartons. Le lendemain, on m'a sommée de venir à la police. L'interrogatoire a duré toute la journée, puis on m'a renvoyée chez moi, où je n'ai toujours pas dormi. Comme les radiateurs ne fonctionnaient pas, j'ai sorti les manteaux d'une valise, et je me suis enfouie dessous pour attendre, manger de temps en temps une biscotte. Au bout de deux jours, on m'a avertie qu'on sortait du dispositif de la garde à vue. C'était maintenant la détention provisoire, il fallait songer à te pourvoir d'un avocat. Je ne savais pas où trouver un avocat. J'ai appelé Serrier.

Depuis son retour de congés, elle m'avait laissé trois messages, inquiète de ne pas te voir au rendez-vous habituel. Par répondeur interposé, je l'avais prévenue que nous étions occupés par un nouveau déménagement et que nous reprendrions date dès que possible. Elle avait insisté pour que tu viennes et j'avais calmement répété, dans mon message suivant, que oui, dès que possible, elle devait se montrer un peu patiente.

Serrier a décroché à la première sonnerie. Elle m'a écoutée en silence, je l'ai sentie fâchée puis sceptique. Alors je me suis énervée. Je lui ai dit que, si elle ne me croyait pas, ce n'était pas compliqué de vérifier sur internet, elle se rendrait compte par elle-même qu'on recherchait activement une dénommée Annabelle Lecoq, vingt-sept ans, ainsi que son petit Léo de trois ans, et elle apprendrait par la même occasion que Charles Caradec croupissait en cellule, soupçonné d'entretenir un lien obscur avec cette affaire. Certes, on n'avait pas trouvé de corps, mais on disposait d'un faisceau d'indices concordants qui justifiait le maintien en détention. Je lui ai dit tout ça et j'ai ajouté que j'étais surprise qu'elle ne lise pas les journaux, cette nouvelle faisait l'objet d'une attention assez soutenue en raison de la disparition d'un enfant.

– Un faisceau d'indices concordants, a répété Serrier.

Comme je restais sans voix, elle m'a ordonné de ne pas bouger, elle rappellerait sous peu. Le téléphone a sonné une heure plus tard. Serrier me priait de contacter de sa part maître Roubeau, avenue Georges-Mandel, dans le seizième arrondissement parisien.

La secrétaire de Roubeau m'a fixé rendez-vous pour l'après-midi même, et elle m'a précisé d'apporter mon chéquier parce qu'il m'en coûterait quatre cent cinquante euros pour un premier avis. C'était un long trajet jusqu'à l'avenue Georges-Mandel. Il fallait prendre le RER et deux métros, mais je me sentais mieux parmi la foule, entre ces yeux et ces oreilles dont je n'avais pas à me méfier.

Le pénaliste recevait dans un bel immeuble des années 1930, à deux pas du Trocadéro. Une lourde porte ornée de rameaux en ferronnerie donnait sur un hall de vastes proportions. On s'y sentait tout de suite très petit. Le cabinet se situait au rez-de-chaussée, derrière une porte en bois massif. Au-dessus de la sonnette, une plaque indiquait les noms des avocats associés.

Roubeau avait une quarantaine d'années. Il ne portait pas de cravate, le premier bouton de sa chemise était défait, et ses joues se couvraient d'une barbe de trois jours, blonde piquée de blanc. Il regardait droit dans les yeux, sérieux sans raideur, lâchant à l'occasion un sourire bienveillant. Roubeau m'a précisé ses tarifs, ajoutant qu'en cas de victoire, je pourrais prétendre à un dédommagement. Je n'ai pas écouté les détails. J'ai dit d'accord. De toute façon c'était trop cher, de toute façon je paierais.

L'avocat n'était pas intéressé par ma colère ni mes protestations d'innocence. Il s'intéressait aux faits, et il exigeait des éléments circonstanciés. Je lui ai rapporté tout ce que j'avais compris de cette histoire. La police avait voulu savoir où tu te trouvais entre le moment où Annabelle Lecoq avait disparu et le soir où tu avais assisté à la réunion d'urgence chez les Taupin. Ce n'était pas compliqué, tu étais dans notre chambre. Mais cette réponse ne les avait pas satisfaits. Ils réclamaient des preuves et je les avais regardés comme des enfants stupides : comment prouvait-on qu'un homme était seul dans sa chambre ? Ils auraient plutôt dû s'émerveiller que quelqu'un fût capable de cet exploit – n'avaient-ils pas lu Blaise Pascal ?

Je n'aurais pas dû dire ça. Ensuite les choses s'étaient compliquées. Ils m'avaient bombardée de questions tour à tour anodines et piégeuses, essayant de me faire craquer. Et c'est vrai qu'à la fin, j'étais prête à tout. J'espère que tu me pardonneras, j'ai proposé d'avouer tout ce qu'ils souhaitaient. Mais ils m'ont rétorqué que ça ne se passait plus comme ça, la justice. On ne pouvait pas simplement arracher des aveux, les magistrats ne plaisantaient plus avec ça comme au temps de. Un silence s'en était suivi. Ils s'interrogeaient mutuellement du regard, ne sachant à quelle époque ils étaient censés se référer. Au vrai, ils semblaient si jeunes que ce temps, ils ne l'avaient sans doute pas connu, et dans mon épuisement j'avais lâché un sourire. Encore une fois, je n'aurais pas dû.

Ainsi, nous avions tourné en rond plusieurs heures, ai-je rapporté à Roubeau. Ils trouvaient louche que tu dormes la journée. Ils trouvaient louche que tu te sois montré à cette réunion alors que, d'après nos voisins, tu ne mettais plus les pieds dans nos rassemblements communautaires. Ils trouvaient tout louche et semblaient posséder déjà leur explication, sans même essayer d'autres pistes. Après tout, moi aussi j'aurais pu m'échapper un après-midi pour tuer Annabelle Lecoq et jeter son corps dans un fossé de la Côte-d'Or ou de l'Yonne. Mais cette hypothèse ne semblait pas les intéresser. Sans doute ne disposaient-ils pas d'indices concordants pour l'étayer.

Roubeau n'a formulé aucun commentaire. Il s'est contenté de m'observer, puis il a dit :

— Bien, maintenant vous allez me laisser faire mon travail.

25

En sortant de chez l'avocat, j'avais un message de Nathalie, l'agent immobilier à qui j'avais confié la vente de notre maison. Elle m'avait signalé à plusieurs reprises ses difficultés à trouver un acquéreur. Notre demeure présentait certes des atouts. Mais, entre le jardin enseveli et la trouée des canalisations, le sang des acheteurs ne faisait qu'un tour : ils partaient en courant.

Je l'ai rappelée aussitôt. Sans trop de détours, Nathalie a suggéré que, si mon mari devait être inculpé d'enlèvement, de séquestration ou de que savait-elle encore, il deviendrait encore plus difficile de se débarrasser de la maison. Je lui ai répondu de baisser le prix, autant qu'il faudrait.

Un gris venteux régnait sur l'allée. Nos voisins s'étaient terrés chez eux, sous l'effet conjugué du mauvais temps et du climat délétère. Une fois la porte refermée derrière moi, j'ai ouvert mes mails. Bogaert s'étonnait de ne plus avoir de nouvelles. En fouillant dans mes messages envoyés, j'ai constaté que le dernier remontait à plusieurs semaines, et que j'avais négligé ses relances. Donc je lui ai écrit la disparition inquiétante, l'arrestation, l'avocat. J'avais à peine cliqué sur Envoi qu'il me téléphonait.

C'était essentiel de reprendre la main, a insisté Bogaert dans son français hésitant. Je ne pouvais rester sans rien faire pendant qu'on décidait de mon sort à ma place. Il fallait alerter mon entourage, appeler au secours. Je me suis mise à pleurer. Je lui ai dit que nous ne connaissions plus personne. Je n'avais que des relations de travail, et tu n'en avais aucune. Il a répondu que c'était idiot. Tout le monde avait des proches, je n'avais qu'à me souvenir.

Après avoir raccroché, j'ai fait comme il m'avait dit, laissé défiler sous mes yeux les centaines de noms enregistrés dans mon portable. J'avais rencontré toutes ces personnes au moins une fois. Avec chacune, nous nous étions promis de rester en contact. Mais nul ne m'avait jamais téléphoné à l'improviste parce que son conjoint moisissait en prison.

J'allais éteindre mon téléphone quand j'ai reçu un appel de Klincksieck. Il voulait faire le point sur ma situation, disons, personnelle. Je ne voyais pas en quoi celle-ci le concernait, mais il a poursuivi qu'il fallait voir les choses en face, Éva. Mon mari se trouvait incarcéré depuis plusieurs jours, et ce genre d'affaire se soldait, en général, par des peines assez lourdes. J'ai répliqué qu'à sa place, je prendrais garde à ne pas me livrer à des conclusions trop rapides, en général. Klincksieck ne s'est pas offensé. Du reste, il n'avait que faire de ta culpabilité, ni de la mienne. Car la culpabilité de l'épouse est toujours un point épineux, a-t-il théorisé. A-t-elle agi de son plein gré ou sous influence ? Il faudrait un juge impartial dressé au milieu de couple afin de le déterminer, or c'est le propre du couple que d'exclure les tiers pour former un nœud inextricable.

Je me suis cramponnée à un carton. Klincksieck s'était tu. Je l'ai senti réfléchir à l'autre bout du fil, puis réfléchir un peu trop. Après une profonde inspiration, il m'a expliqué qu'il n'avait pas le choix. L'enjeu était trop important pour la direction de l'urbanisme, en termes financiers mais aussi d'image, pour risquer que l'opération soit mal reçue par le public. Concrètement, il fallait que je me retire dans l'ombre, et que Bogaert reste seul aux commandes.

Je n'en croyais pas mes oreilles. J'ai pensé aux mois de conception, aux négociations interminables pour rallier les uns et les autres, à tous les détails mortifères que j'avais dû prendre en charge, et j'ai vu Bogaert absorber toute la lumière quand plus personne ne connaîtrait mon nom. Mais Klincksieck avait déjà raccroché.

Pendant notre conversation, Nathalie m'avait laissé un message. Elle venait de téléphoner à un jeune couple qui avait visité la maison quelques jours plus tôt pour les prévenir que le prix baissait de vingt pour cent. Ils s'étaient laissé convaincre, l'affaire était dans le sac.

J'ai rappelé Bogaert. Je lui ai annoncé que je me retirais du projet mais que j'avais besoin d'un logement, il fallait qu'il me prête son pied-à-terre de Gambetta. Bogaert a tergiversé quelques minutes, avancé des inconvénients. Soudain j'en ai eu plus qu'assez, j'ai crié tellement fort qu'il m'a dit de contacter sa gardienne, elle me remettrait les clés.

Une semaine plus tard, j'avais signé le compromis de vente, résilié l'électricité et l'internet. Les déménageurs ont emporté nos affaires au garde-meubles. J'ai légué les soucis à Cécile, et je me suis installée chez Bogaert.

26

C'était un trois-pièces avec vue sur le cimetière, baigné dans la lumière ardoise de l'automne. Les grands arbres qui protégeaient les morts brunissaient. Leurs feuilles se détachaient pour caresser les tombes, balayer les vitres où les pluies intermittentes laissaient de longues larmes. Je circulais entre les murs couverts de livres. Même la cuisine et la salle de bains accueillaient des bibliothèques, classées selon un ordre aussi mystérieux que précis.

L'appartement était resté dans son jus d'après-guerre. Tout me semblait vétuste, de l'antique chauffe-eau, dont je craignais qu'il mette feu à l'immeuble chaque fois que je l'entendais s'enclencher depuis la douche, au garde-manger encastré dans le mur de la cuisine, où les ménagères stockaient les provisions avant l'ère du réfrigérateur. Mais il se trouvait à proximité d'excellents commerces de bouche. J'y faisais un saut avant de remonter pour observer la lente mort des feuilles, pour attendre. Je me nourrissais d'œufs en gelée, de salade piémontaise, des plats pour célibataires puisque c'était, après trente ans, ce que j'étais redevenue. Je n'avais plus rien à voir avec celle qui avait vécu à Paris avec toi, qui avait rêvé d'une vie meilleure dans une maison à nous, puis qui avait été chassée de son rêve par des forces obscures. J'étais une femme seule qui mangeait de la salade piémontaise dans une cuisine inconnue, attendant qu'on lui rende sa vie d'avant, ou qu'on lui en offre une autre plus acceptable.

Et ce miracle, je l'attendais de l'avocat Roubeau. Pour l'heure, il n'en avait guère accompli. Mais il avait rassemblé quelques informations, qu'il m'avait patiemment répétées. D'abord, il t'avait vu. Tu ne te portais pas bien, non, on ne pouvait pas dire. La police t'avait interrogé dans tous les sens. Puis, comme tu avais tenté de te blesser contre un mur, on t'avait attaché. Je pourrais te rendre visite, mais il y aurait toujours un fonctionnaire de police présent avec nous, il ne serait pas question de se dire quoi que ce soit.

J'ai répondu que je ne le souhaitais pas. Ce que je souhaitais, c'est qu'on fasse la lumière sur cette histoire et qu'on me rende ma vie d'avant, ou une autre plus acceptable. Mais Roubeau a insisté pour que j'y aille, au moins pour l'opinion. Il fallait qu'on sache que l'épouse était solidaire, qu'elle croyait dur comme fer à l'innocence de son mari. Donc j'irais avec lui, peu importe ce qui se dirait au parloir, tout le monde saurait que j'y étais allée, non, que j'y allais souvent.

Après quoi il devait m'informer de deux ou trois choses pas très agréables. Tu avais été dénoncé. Des voisins t'avaient aperçu, au début de l'été, traverser l'allée avec la scie électrique des Taupin. Or tu ne bricolais pas. De notoriété publique, tu dormais dans un transat ou dans notre chambre à l'étage. À peine entendait-on quelques pas au plafond lorsqu'on passait à l'improviste pour demander du café ou utiliser le micro-ondes. Oui, de nombreux voisins avaient témoigné que tu ne bricolais jamais. Pourtant, un après-midi de juillet, tu avais emprunté la scie des Taupin. Celle-ci avait regagné sa place depuis longtemps, on ne pourrait rien prouver de ce côté, mais c'était un premier fait perturbant.

Ensuite on avait su – et je vous prie, Mme Caradec, de ne pas faire montre d'une pudeur mal placée – on avait su que vous aviez une aventure avec M. Lecoq, Mme Caradec. Plusieurs voisins avaient repéré que vous vous rendiez chez lui en l'absence de son épouse. On vous avait vu y aller et on vous avait vue en sortir, le feu aux joues, quelque peu échevelée. Surtout, on avait su que M. Caradec le savait. On l'avait appris parce qu'on était passé devant votre cuisine un soir de juin et que vous vous trouviez justement dans cette cuisine avec votre mari à ce moment-là, Mme Caradec, lui avouant que vous aviez fauté, que vous deveniez folle, le suppliant de frapper. Mais on ne l'avait pas entendu frapper. On l'avait entendu ne rien répondre puis remonter dans sa chambre, où la lumière s'était allumée quelques secondes plus tard pendant que vous pleuriez au rez-de-chaussée.

Bref, il y avait ce deuxième fait perturbant, Mme Caradec. Mais il y en avait aussi un troisième. Et ce dernier fait, c'est que M. Caradec ne se trouvait pas du tout dans sa chambre le jour de la disparition d'Annabelle Lecoq. Il se trouvait à Auxerre, la caméra de surveillance de l'agence BNP-Paribas du centre-ville avait enregistré sa présence entre 14 : 10 et 14 : 38, alors ce serait bien, Mme Caradec, qu'on s'intéresse un peu à ce point.

La police m'avait parlé de la BNP d'Auxerre. Je trouvais le sujet peu intéressant. Sous prétexte que nous portons un nom breton, les gens s'imaginent que tu es originaire de Quimper ou Saint-Pol-de-Léon. Pourtant tu as grandi en Bourgogne, près de Sens. Et, parce que nous recevons peu la famille, ils croient que nous n'en avons pas. Or tu possèdes une mère âgée de quatre-vingt-douze ans, elle vit dans une maison médicalisée en banlieue auxerroise, il t'arrive de la visiter et de passer par la même occasion à sa banque, où tu bénéficies d'une procuration, je ne vois pas qu'il y ait là matière à reproches, maître Roubeau.

– C'est quand même curieux comme coïncidence, a fait valoir l'avocat.

– Je n'y peux rien si mon mari s'est rendu à la BNP le jour où Annabelle Lecoq a choisi de disparaître, ai-je sèchement répliqué.

Roubeau m'a proposé de changer de ton. Il ne se formalisait pas, non, il avait l'habitude des entourages à bout de nerfs. Mais l'opinion, Mme Caradec, l'opinion. Je devais savoir que, de nos jours, les affaires se jouaient à moitié à l'intérieur du palais de justice, à moitié sur le trottoir, devant les caméras de télévision. Une fois de plus, j'ai voulu protester qu'on n'avait pas trouvé de corps. Mais tout le monde semblait s'être entendu pour déclarer la mort d'Annabelle. Et j'avais beau savoir qu'elle était vive comme la mauvaise herbe, si j'étais seule à le savoir, je ne savais rien. Alors j'ai laissé tomber. J'ai répondu que c'était en effet une belle coïncidence, ou plutôt moche, mais que la vie n'allait pas sans surprises et que, si Roubeau

141

exerçait un métier facile, il serait sans doute moins bien payé.

L'avocat ne s'est pas départi de son sourire agréable. À l'heure actuelle, Mme Caradec mère avait les idées un peu confuses. Mais on finirait bien par établir si tu t'étais rendu à son chevet et ce que tu avais fait à la BNP ce jour-là. Ce qui l'intéressait davantage, c'est la raison pour laquelle nous avions menti, toi et moi, chacun de notre côté, en prétendant que tu avais fait comme d'habitude, c'est-à-dire rien dans ta chambre, alors que tu avais sorti la voiture du parking de l'Intermarché pour rouler cent cinquante kilomètres jusqu'à Auxerre.

Et c'est vrai que je m'étais posé la même question. Moi aussi, je m'étais demandé pourquoi tu avais pris le volant ce jour-là, toi qui ne conduisais plus depuis des lustres, pourquoi tu avais profité de mon absence pour t'extraire du lit malgré les médicaments et filer en douce à Auxerre. Mais je n'ai pas fait part de mes interrogations à Roubeau. Je lui ai expliqué que je m'étais trompée de jour. C'était facile de commettre l'erreur. Oui, avec les tracas du déménagement, j'avais très bien pu mélanger les dates.

27

J'ai fini par penser que j'étais chez moi chez Bogaert. Son lit, sa vue, ses commerces sont devenus les miens. Je prenais mes repas debout à la cuisine, picorant dans une barquette en celluloïd à peine déballée de ses papiers gras. Le reste du temps, je lisais les titres au dos des livres ou pratiquais des stations immobiles sur le balcon. Mais surtout, je ne faisais rien. Pour la première fois, il m'a semblé possible de passer sa vie à explorer une chambre. Le soleil entrait différemment selon les moments de la journée. J'analysais sa progression sur les lattes du parquet, repérant au passage des nids d'échardes, des encoches dans le bois, et j'émettais des hypothèses quant aux causes qui les avaient produites, à leur période de formation.

Cécile envoyait des textos pour prendre de mes nouvelles. Je répondais factuellement. Rien à signaler du côté de Gambetta. L'avocat se montrait confiant. Tu serais bientôt libéré. Comme mes réponses la laissaient sur sa faim, elle a fini par téléphoner. On ne voyait quasiment plus Arnaud Lecoq, m'a-t-elle rapporté. Il filait à l'aube et rentrait le plus tard possible, dieu sait quel genre d'appartements il vendait à des heures pareilles. Mais la police ne semblait pas s'inquiéter. Cécile s'en était étonnée auprès des enquêteurs venus interroger les riverains, et on lui avait rétorqué qu'on savait ce qu'on faisait, ma petite dame.

Tous nos voisins avaient dû répondre à leurs questions. Ils avaient aussi été sollicités par les médias. Les chaînes d'information en continu avaient diffusé des reportages où l'on voyait Inès, Romuald et Romaric, les Bohat plantés sur la pelouse devant leurs maisons. Ils décrivaient avec émotion un quartier paisible et convivial, une entente exceptionnelle entre voisins, mais aussi des personnes qui ne s'étaient pas vraiment intégrées, dont on n'avait jamais pu cerner les goûts ni les agissements.

Il y avait tout de même quelque chose de drôle dans cette histoire, m'a raconté Cécile. Quand la douce Aude Lemoine avait appris où son mari s'était rendu avec Lecoq le soir de la disparition d'Annabelle, elle n'avait parlé à personne pendant plusieurs jours, encaissant le coup. Puis elle avait reconsidéré cette attitude et s'était soudain mise à parler à tout le monde. Devant les boîtes aux lettres, au compost, à l'Intermarché, cette femme si discrète se répandait maintenant en confidences. De toute façon, elle n'en avait plus rien à cirer, elle demandait le divorce. Oui, Lemoine avait toujours bandé mou, c'était un miracle qu'il l'ait engrossée par deux fois. Et puis il avait doublement menti. Ce n'était absolument pas une coïncidence s'il était tombé sur Arnaud Lecoq au Voltigeur le soir de la disparition. Les deux hommes s'étaient donné rendez-vous. Ils étaient convenus de se rendre ensemble dans un club privé où ils s'étaient croisés par hasard quelque temps plus tôt, se découvrant par la même occasion un point commun inavoué. Lemoine avait tout dévoilé à sa femme après une bouteille de vin, il était incapable de dissimulation quand il avait bu. De sorte qu'Aude Lemoine s'estimait flouée sur la marchandise : si elle avait su qu'elle épousait un pédé, elle se serait abstenue, merci bien.

Je n'ai pas pris beaucoup de plaisir à l'anecdote. Je me suis rappelé comment, trois ou quatre mois plus tôt, dans une autre vie, j'avais moi-même ôté tous mes vêtements en présence d'Arnaud Lecoq. J'ai réfléchi à ce qui facilitait chez lui le franchissement des frontières, une façon d'avancer ses pions l'air de rien, une disponibilité à l'instant, sans remords ni conséquences. Bien sûr, je n'ai pas soufflé mot de tout ça à Cécile. Je me suis contentée de serrer les dents, et, pour clore la conversation, j'ai accepté de prendre un café avec elle la semaine suivante à Gambetta.

Je ne vais pas te mentir. Chaque fois que je t'ai vu au parloir, tu m'as fait peur. Évidemment, le décor n'aidait pas, un bloc blanc sale inventé par un architecte scélérat, aux vitres scarifiées par des centaines d'ongles acharnés, suintant l'haleine de toutes les bouches qui s'étaient tendues en vain l'une vers l'autre pour ne rencontrer qu'un mur de glace. Et ce policier statufié dans l'angle, qui gagnait son salaire en rayant de sa conscience tout sentiment humain pendant ses heures de service – j'espérais que son épouse le martyrisait, qu'il possédait trois enfants en bas âge et un crédit jusqu'au cou.

Non, tu n'étais pas beau à voir. Tout ce qui chez toi luttait vigoureusement contre la pesanteur, ton esprit, tes chairs, tes épaules, s'était amolli. Assourdis de colère, nous attendions que ça passe. Ni toi ni moi ne réclamions ces parloirs sous la garde d'automates hostiles. C'est Roubeau qui nous obligeait. Après trois visites, je lui ai dit que je n'irais plus. Tant pis pour l'opinion, je n'allais pas faire tout le travail à sa place.

Ensuite, c'est Bogaert qui a voulu qu'on se voie. Comme il descendait à Paris pour une réunion, il m'a fixé rendez-vous dans une brasserie près de la gare du Nord, peu avant de reprendre son Thalys. Je m'y suis rendue en bus, scrutant les façades noircies et la surface glauque du canal Saint-Martin. Sans doute voulait-il que je vide les lieux, me reprendre son appartement ou me réclamer un loyer. Or il n'en était pas question. Roubeau me coûtait les yeux de la tête. Je n'avais plus un centime pour payer quoi que ce soit.

À l'entrée de l'établissement présidaient des montagnes d'huîtres, des crabes aux pinces entravées. Bogaert m'attendait à une table du fond. Il avait commandé un thé vert et se présentait tel qu'en lui-même, chaleureux, transparent. J'ai évité de m'attarder sur son visage, commandé un verre de vin. Bien sûr, il ne croyait pas à ta culpabilité. On n'avait jamais vu un grand dépressif se changer soudain en meurtrier. Ou plutôt si, on l'avait vu souvent, mais ce n'était assurément pas ton cas. Toujours est-il que la justice pouvait commettre des approximations, a-t-il tenu à m'avertir en se resservant du thé, dieu sait qu'elle pouvait se révéler faillible dans son pays comme dans le mien. Et à quoi ressemblerait ma vie sans toi, s'inquiétait-il, cette simple idée le faisait frémir – lui ne pouvait envisager la sienne sans Sigrid.

Je me suis demandé ce que Sigrid venait faire là-dedans. Puis j'ai imaginé Bogaert, l'été dernier, dans sa villa de la Côte d'Azur, après une journée de planche à voile et de VTT à travers les pins, se cacher dans un coin avec son mobile pendant que sa femme préparait des sandwiches à la mimolette et que ses adolescents se masturbaient dans leur chambre, oui je l'ai imaginé se faire des petites frayeurs en jetant les bases de rendez-vous secrets qu'il n'avait de toute façon aucune intention d'honorer, car, s'il goûtait la pensée de l'aventure, Nicolaes Bogaert prisait avant tout la permanence de son confort.

Alors je l'ai interrogé sur ses adolescents. Il semblait que ce stade critique du développement pût s'avérer pénible pour les parents. J'espérais que, comment s'appelaient-ils déjà, ne lui donnaient pas trop de fil à retordre. Mais Bogaert ne souhaitait pas s'étendre sur sa lignée. Comme un ruminant à sa mangeoire, il est revenu sur ma situation. Je devais, insistait-il en touillant sa tasse vide, bien me représenter les faits une fois le verdict rendu, quand je me retrouverais seule à la sortie du tribunal, puisque c'était, en toute logique, ce qui m'attendait.

Ils m'assassinaient avec leur justice, leurs verdicts. Sur quoi Bogaert a répondu qu'on allait changer de sujet. Il avait repensé à notre théorie de l'espace incertain, a-t-il poursuivi en m'observant avec une soudaine acuité. À la réflexion, il estimait qu'il y avait une ambiguïté dans le concept. Certes, l'absence de prédétermination pouvait concourir à l'émergence de nouvelles sociabilités. Mais elle dissolvait aussi les responsabilités, de telle sorte que, si les choses tournaient au pire, plus personne n'était responsable de rien. Ou plutôt, que nous l'étions tous, a-t-il conclu en me fixant toujours.

J'ai ri. Pour un peu, c'était moi qu'il fallait inculper de je ne sais quoi. J'ai observé son visage sérieux, transparent. Mon sourire s'est décomposé. Je lui ai dit que c'était dommage que nous ayons tant de mal à nous comprendre, et j'ai fini mon verre pour regagner l'arrêt de bus.

Un vent fourbe s'abattait sur la ville. J'ai serré contre moi mon manteau, évité les solliciteurs qui rôdaient devant la gare, réclamant de l'argent pour eux-mêmes, leurs chiens ou des associations caritatives œuvrant à des causes déprimantes. À quelques mètres devant moi se tenait un grand homme noir, couronné de dreadlocks qui lui donnaient l'air d'une Méduse africaine. Par-dessus son épaule, j'ai aperçu mon bus s'engager dans la rue La Fayette, et je lui ai fait savoir que je ne pourrais malheureusement pas accéder à sa demande de soutien financier car j'étais pressée. Mais, quand j'ai voulu me frayer un chemin, l'homme m'a bloqué le passage, sans agressivité, par manière de plaisanterie, me couvrant soudain de compliments dans l'espoir de me faire céder par cette autre tactique. Toujours par-dessus son épaule, j'ai vu filer mon bus, et ensuite, dans la même direction, qui était aussi celle de l'entrée du RER, une jeune femme blonde au profil familier, sanglée dans un jogging informe et poussant une poussette, étonnamment familier car je ne connaissais pas de jeunes mères blondes portant des joggings en plein Paris, encore moins maquillée comme celle-ci l'était, une vraie voiture volée. Puis elle s'est engouffrée dans le RER, et l'homme, vaincu par mon inertie, s'est écarté, me laissant libre de gagner la rue La Fayette où par miracle un autre bus arrivait. Je me suis engouffrée dedans et j'ai attendu la place Gambetta pour souffler.

28

J'étais hantée, c'était la conséquence.

Je fabriquais des coïncidences de toutes pièces.

Je participais à un drame terrifiant, il altérait mes perceptions.

Paris était trop grand, on ne tombait pas sur les gens par hasard.

Paris était tout petit, un village à côté de Londres ou Berlin.

Mais Annabelle n'était ni blonde, ni trop maquillée, ni fagotée comme une ménagère d'habitation à loyer modéré. Annabelle était morte. Elle gisait dans un fossé de la Côte-d'Or ou de l'Yonne, on ne l'avait pas encore retrouvée parce que des pluies torrentielles avaient enseveli son corps sous l'humus bourguignon, mais elle s'y trouvait forcément parce que son mari l'avait assassinée. Nul ne savait comment puisque, à la même heure, il vendait des souplex à des rapaces fortunés, mais enfin il l'avait tuée, c'était mes yeux qui mentaient.

Roubeau m'a rappelée le lendemain. Je lui ai dit que j'étais folle. Il m'a priée de développer. Puis il a confirmé qu'il n'était pas rare, quand on pensait beaucoup à quelqu'un, de l'apercevoir à tous les coins de rue. Oui, Roubeau avait certainement raison.

L'avocat n'avait pas grand-chose de neuf à m'annoncer, sinon un petit truc. Il semblait que Lecoq ait manqué de tact en affirmant à Malika qu'il avait abandonné le petit labrador à la SPA. Celle-ci s'était vexée du ton qu'il avait employé, et elle avait répété l'histoire à la police, qui avait vérifié les registres de l'association. Or ceux-ci ne conservaient aucune trace du passage d'un chiot ressemblant à Toupie pendant l'été. La police était toujours en train de creuser cette piste, enfin c'était amusant que ce monsieur ne sache ni où se trouvait son épouse, ni où se trouvait son chien, a conclu Roubeau, inhabituellement gai.

Après quoi j'ai recommencé à ne rien faire. Seule Cécile perturbait mon quotidien. Comme elle appelait sans arrêt, j'ai cessé de décrocher quand son nom s'affichait à l'écran. Jour et nuit, j'errais dans l'appartement, ou je sortais sur le balcon pour guetter les orages d'automne. Les éclairs foudroyaient les tombes entre les branches dénudées. C'était un beau spectacle. J'ouvrais la bouteille de whisky de Bogaert pour le saluer.

Quand il n'y a plus eu de whisky, je suis allée en racheter. Au début, j'alternais les magasins. Pour noyer la bouteille dans des courses plus variées, je prenais des chips, des olives fourrées aux anchois. Ainsi pouvait-on croire que, moi aussi, je fomentais des apéritifs. En rentrant, je laissais traîner les paquets sur les catalogues d'architecture de Bogaert. De temps à autre, je piochais une poignée de chips, abandonnant dans mon sillage des traînées de miettes qui matérialisaient mes trajectoires sur le parquet. Bientôt les caissières du Franprix et du Carrefour Market m'ont reconnue. J'étais la femme qui vient se procurer son whisky du lundi, du mercredi, du vendredi. Alors je n'en ai plus rien eu à foutre. Qu'importait ma diction approximative, je n'avais personne à voir, personne à qui parler. Désormais j'allais tous les jours au Franprix, c'était plus près.

Puis un jour, Cécile a sonné à la porte. C'est vrai, j'avais dit qu'on prendrait un café à Gambetta. Elle me fatiguait, Cécile, à vouloir absolument que je tienne le coup. En plus, si c'était pour me dire que j'avais une mine atroce, elle aurait pu s'épargner tout le trajet par RER, métro et bus. Avec la stratosphérique absence d'originalité qui la caractérisait, Cécile a dit qu'il fallait que je me reprenne. Dans la cuisine, elle a fureté à la recherche d'un fond de café et, pendant que le percolateur glougloutait sur le gaz, elle a ramassé les bouteilles, les paquets de gâteaux apéritif, enfin sorti le balai pour effacer les traces de mon incurie.

– Ça ne te ressemble pas, toi si soigneuse, si maîtresse de toi. Mais ils n'auront pas notre peau, a-t-elle affirmé en crispant la mâchoire.

Je me suis vaguement demandé de qui elle parlait, sans trouver la force de poser la question. J'étais avachie sur une pile de catalogues, à observer les taches de dentifrice qui formaient des galaxies sur mon pull. Cécile m'a ordonné d'aller me doucher, et de me laver les cheveux par la même occasion. J'ai eu honte, je me suis traînée vers la salle de bains.

Nous avons pris le café à la cuisine. Il était bon. Cécile savait tout faire, le café, s'occuper des gens, leur rendre le goût d'exister. Soudain j'ai éprouvé un trop-plein d'amour pour elle. J'aurais voulu la mordre, la manger. J'avais raté ma vie par excès d'orgueil, elle avait fait de la sienne un nid douillet. Je lui ai dit que je l'admirais. Elle m'a jeté un regard soupçonneux. Je lui ai répété que si, je la respectais énormément. Elle m'a informée que j'étais encore soûle et elle a décidé qu'on allait

154

faire un tour. J'ai mis mes lunettes de soleil pour descendre au cimetière, j'avais mal aux yeux.

Les morts du Père-Lachaise avaient de la personnalité. Ils s'étaient enfouis pour l'éternité sous des dalles distinctives. Aux frontons des caveaux, sur les flancs de sépultures compliquées, ils avaient manifesté la flamboyance spirituelle qui les animait par un fouillis de signes inconnus des principales religions en vigueur. J'ai déclaré à Cécile que, moi aussi, je voulais un monument, quelque chose entre l'obélisque et l'escalier en colimaçon. Elle n'aurait qu'à claquer tout le fric de notre maison dans le tombeau.

Cécile s'est arrêtée de marcher. Elle m'a forcée à m'asseoir sur un banc et elle a dit :

– Maintenant tu arrêtes de faire l'imbécile, il faut qu'on parle.

C'est vrai que, depuis le début de l'après-midi, elle semblait tourner autour du pot, s'affairer à des tâches dérivatives pour éviter le sujet qui la taraudait. J'avais bien compris que Cécile ne m'appelait pas seulement dans le but de prendre des nouvelles. Elle voulait se rassurer, vérifier que j'étais toujours là pour entendre ce qu'elle avait à me dire au cas où elle trouverait le courage de parler. Je l'avais deviné mais, comme j'avais moi-même mes petits problèmes, ainsi que les journaux en attestaient, les tiraillements de conscience de Cécile n'étaient pas ma priorité. De toute façon, je n'avais jamais eu de patience avec les atermoiements. J'avais certes raté ma vie, mais au moins je ne l'avais pas perdue en sempiternels détours et circonlocutions, Cécile.

Penaude, elle a demandé si je me rappelais le jour où tu avais emprunté la scie sauteuse. Bien sûr que je me souvenais. C'était un dimanche après-midi, je finissais de vider le lave-vaisselle. En triant les couverts, j'observais notre plan de travail tout neuf. Le joint avait été mal posé. Des gouttes grasses s'infiltraient dans l'interstice entre la planche et le mur, ça m'agaçait. J'ai dit qu'on allait utiliser les chutes des plinthes pour fabriquer une crédence, et je t'ai prié d'aller emprunter la scie des Taupin pendant que je préparais le matériel. Ça n'avait pas pris longtemps, le premier intellectuel venu est capable de découper une plinthe et de la coller au mur. En fin d'après-midi, j'avais moi-même rendu la scie à Patrick.

Cécile gigotait sur le banc. À son tour, elle semblait gênée par le soleil. Elle a voulu savoir si je me rappelais également que, quelques jours plus tard, par une matinée de juillet spécialement chaude, Romaric avait découvert le cadavre du chat. En effet, cette coïncidence ne m'avait pas échappé. Toi et moi, nous nous étions même félicités d'avoir déjà utilisé la scie, car il aurait été plus délicat, par la suite, d'emprunter un outil dont on avait fait un usage si funeste. Bien sûr, le chat avait pu être massacré avec un autre modèle. Mais, en notre for intérieur, nous pariions que non.

– Ni Patrick ni moi n'avons jamais suggéré que vous aviez tué le chat, s'est empressée d'ajouter Cécile.

– Mais vous ne vous êtes pas dénoncés non plus, ai-je relativisé.

Cécile a poussé un long soupir. Patrick avait cru s'y prendre habilement. À force de t'entendre débiter ton plan devant la fenêtre de la cuisine, il avait eu l'idée d'aller lui-même chez Leroy-Merlin pour acheter du produit antinuisible. Car il avait senti, à la tonalité badine de ton discours, que tu ne franchirais jamais le cap. Non, c'était juste des mots gratuits pour semer le doute, agiter l'air.

Patrick avait donc empoisonné le chat. Mais, au moment de mourir, l'animal avait été pris de convulsions dans le jardin des Dudu. Comme il se tordait de douleur en poussant d'affreux miaulements, Patrick avait vivement traversé les buis pour le récupérer et l'emporter à la cave, où il avait abrégé ses souffrances. Il avait saisi ce qui lui tombait sous la main, d'abord un marteau, puis il ne savait ce qui l'avait pris. Aveuglé par un délire barbare, il avait mis en route la scie sauteuse et achevé son forfait dans un bain de sang.

Ensuite il avait passé des heures prostré au sous-sol. Ne le voyant pas remonter, Cécile était descendue à son tour à la cave, où elle avait aperçu le massacre. Patrick voulait se dénoncer. Mais elle lui avait dit de penser aux enfants, proposé d'enterrer le chat au jardin. Comme Patrick refusait de faire une croix sur cette histoire, ils avaient décidé de s'en remettre au destin. Patrick jetterait la dépouille du chat dans le trou des canalisations, à la vue de tous. S'il était pris, il avouerait. Sinon, il s'estimerait gracié par la providence.

J'ai fait observer que, pour notre part, la providence ne nous avait pas épargnés. Cécile a baissé la tête. Puis j'ai tout de même fait preuve d'un peu de curiosité, et je lui ai demandé ce qu'ils reprochaient, personnellement, au gros rouquin.

– C'était pour éviter d'étrangler Annabelle, a platement répondu Cécile.

Je n'avais pas manifesté beaucoup d'intérêt, m'a-t-elle rappelé, lorsqu'elle s'était arrêtée, début juin, au bar-tabac où je m'étais réfugiée avec mon ordinateur. Je revoyais très bien l'après-midi en question. Tout le monde s'ingéniait à venir me déranger, m'accablait d'informations sur le compost ou le vide-grenier tandis que j'essayais désespérément de me concentrer sur mon travail.

– Oui, le vide-grenier de la Pentecôte, m'a interrompue Cécile, c'est là que tout a commencé.

Alors j'ai appris comment, ce dimanche-là, dans la torpeur de l'alcool et des microshorts, les mères avaient fini par remballer leurs stands et leurs enfants pour mettre ces derniers au lit, laissant les mâles finir entre eux la soirée. Ces mâles qu'on avait vus errer jusque fort tard dans les rues, rachetant des bouteilles à l'épicerie arabe et les sifflant aussi sec, errer non exclusivement entre eux mais avec Annabelle, qui avait confié son fils à Inès et ne se faisait jamais prier pour boire une bière de plus. Et j'ai su également que, dans la langueur générale, la jeune femme s'était soudain retrouvée avec Patrick derrière un gros 4×4, à faire des choses sur lesquelles Cécile ne s'étendrait pas. L'information ne m'a pas tellement surprise. J'ai continué à me taire. Cécile semblait de plus en plus éblouie par le soleil.

Patrick ne lui avait pas raconté tout de suite. Il avait imaginé enfouir son égarement dans l'alcool, mais Annabelle n'enfouissait jamais rien. Chaque fois qu'elle le croisait, elle lui remémorait sa faute par un clin d'œil ou un sourire. Et il avait beau l'éviter, un soir elle l'avait coincé devant le compost, où elle lui avait signifié que c'était sympa, l'autre dimanche derrière le 4×4, elle espérait qu'ils pourraient recommencer, et elle apprécierait bien par la même occasion un petit cadeau, par exemple un smartphone ou un bijou, un truc comme ça.

Cécile semblait maintenant très gênée par le soleil. J'ai dit qu'on allait remonter à l'appartement. À la table de la cuisine, je lui ai servi un fond de café, et, pendant que s'étiraient sur nous les ombres du cimetière, je lui ai expliqué qu'elle allait répéter tout ça à la police, ou j'allais m'en charger.

29

J'étais sobre quand j'ai appelé Roubeau le lendemain matin. Ça commençait à bien faire. Je lui avais déjà lâché neuf mille huit cents euros et tu dormais toujours en cellule. N'avait-il pas eu ta psychiatre au téléphone ? Serrier avait dû lui dire que tu ne supporterais pas la détention. Il fallait remuer ciel et terre, réinterroger les voisins, à l'évidence ils nous cachaient quelque chose. L'avocat s'est armé de patience pour me répondre, comme d'habitude, qu'il n'était pas détective privé ni magicien. J'ai souhaité que les téléphones eussent conservé leurs lourds combinés en bakélite afin de lui raccrocher au nez.

Pardonne-moi cette pensée mais, à cet instant,

j'ai songé qu'il en allait avec Roubeau comme avec toi : il fallait tout faire moi-même. J'aurais préféré me pendre plutôt que de remettre les pieds dans notre allée. Puis je me suis souvenue que Malika avait souvent rendez-vous à l'hôpital Tenon, à deux pas de la place Gambetta. Elle visitait les gérontologues pour leur vanter des produits retardant les effets des démences neuro-dégénératives. Ces médicaments, m'avait-elle expliqué un jour, n'étaient pas meilleurs que ceux de la concurrence, pas pires non plus. Mais elle disposait d'études effectuées sur la base de nombreux essais cliniques. Quelque argument qu'on lui oppose, elle pouvait contrecarrer l'objection. Bref, c'était son métier de placer ces produits.

Je lui ai envoyé un texto pour lui raconter que je me sentais un peu seule, ça me ferait plaisir de prendre un café. Malika m'a rappelée dans l'heure. Justement, elle avait rendez-vous à Tenon en fin de semaine, on pourrait en profiter pour déjeuner. La fin de semaine, ça faisait tard. J'ai répondu que je préférais aujourd'hui. Elle a dit d'accord.

Bogaert m'avait recommandé une brasserie en retrait de la place. C'était un établissement à l'ancienne avec boiseries, miroirs, ferronneries décoratives. Je lui ai trouvé l'air faux. Comme j'étais en avance, j'ai commandé des bulots mayonnaise pour patienter. Sur l'avenue, les

Parisiens avançaient à grandes enjambées, pressés d'atteindre leur but. Plus ils approchaient de la place, plus les commerces se réduisaient à deux catégories : les pompes funèbres et les agences immobilières. Tous ces morts, sans doute, qui libéraient leurs appartements et offraient des opportunités. Je me suis dit que nous serions bien, dans un petit chez-nous à Gambetta. Évidemment, nous ne pourrions prétendre au niveau de confort qu'offrait notre maison. Mais nous nous sentirions en lieu sûr grâce à la proximité des commerces et à l'influence lénitive du cimetière.

J'avais toujours trouvé Malika très élégante. Contrairement à la plupart de nos voisins, qui plébiscitaient les tenues sport ou ethniques, voire un déplorable mélange des deux, elle mariait à des ensembles neutres quelques touches flamboyantes évoquant son pays d'origine. C'était des bracelets tintinnabulants, des foulards à pampilles, des pendants d'oreilles extravagants.

Malika s'est assise face à moi, considérant mes bulots d'un œil circonspect, et elle a commandé des crudités. Elle n'avait pas très faim. Elle déjeunait léger, il était difficile de se concentrer en rendez-vous quand on avait l'estomac lourd. Mais je ne l'avais pas convoquée pour parler de sa digestion. Je voulais savoir précisément ce que Franck Lemoine avait raconté à Youssef et que Malika avait répété à Cécile, qui me l'avait rapporté la veille, quand je lui avais proposé d'aller parler à la police. Malika a tripoté sa salade, hésitant à biaiser. Puis, comme je la fixais sans ciller, un bulot immobilisé dans l'air, elle a avoué.

Un soir de la mi-octobre, alors que tu croupissais en prison depuis plus d'un mois, Lemoine était venu trouver Youssef parce qu'il était bien embêté. Il lui était revenu en mémoire un petit truc. Il n'arrivait pas à décider s'il devait s'en ouvrir à la police, et il ne pouvait prendre conseil auprès de sa femme, qui ne lui adressait plus la parole.

Plus personne n'ignorait que Franck retrouvait parfois Arnaud Lecoq au Mister King, un club privé de Melun, où le kinésithérapeute avait son cabinet. Lemoine en éprouvait bien quelque gêne, mais il n'en faisait pas non plus une affaire d'État. Non, ce qui l'embêtait davantage, c'était que, le soir de la disparition d'Annabelle, où il s'y était effectivement rendu avec Lecoq, il avait perdu de vue ce dernier. Tu sais comment ça se passe, avait-il dit à Youssef qui n'en savait rien, on s'oublie dans la foule, on ne sait plus où on donne de la tête. Bref, entre le moment où les deux hommes étaient arrivés ensemble au club et le moment où ils en étaient repartis, vers vingt-trois heures trente, Franck n'avait plus revu l'agent immobilier.

Youssef avait réfléchi. Il avait fait observer à Franck que Melun, c'est à mi-chemin entre

Auxerre et le périphérique parisien, et qu'entre ces deux points, il avait pu se passer n'importe quoi n'importe où. Franck avait hoché la tête et déclaré qu'il allait avertir la police. Mais Youssef l'avait retenu. Il fallait se montrer prudent. Lemoine était-il sûr de ses souvenirs ? N'allait-il pas changer d'avis ou se rappeler d'autres éléments par la suite ? On avait tous eu beaucoup d'ennuis ces derniers mois. Or on s'était engagés auprès de la banque pour des décennies, il ne fallait pas agir à la légère mais penser à l'avenir, au bien-être de sa famille, évaluer toutes les conséquences avant de prendre la moindre initiative personnelle.

Lemoine ne comprenait pas où Youssef voulait en venir. Puis il a dit qu'il y avait autre chose. Il s'était également rappelé que, le matin de la disparition d'Annabelle, il t'avait croisé à la sortie du parking de l'Intermarché. Tu partais en voiture, et il avait stoppé net devant celle-ci avant de t'apercevoir, toi, au volant. Lemoine en était resté comme deux ronds de flan. Il ignorait que nous possédions un véhicule, qui plus est un modèle de collection, une Jaguar cabriolet de 1989, croyait se souvenir Malika.

— Elle a quand même 150 000 kilomètres, ai-je tempéré.

De fait, c'est exactement ce que tu avais répondu à Lemoine. Pour abréger la conversation, tu lui avais dit que tu ne voulais pas te mettre en retard parce que tu allais voir ta mère à Auxerre. Votre échange s'était arrêté là. Mais Lemoine restait médusé par cette apparition. Quelques minutes plus tard, il n'avait pu se retenir d'en parler à Lecoq, qui l'appelait pour fixer le rendez-vous au Mister King. Et Franck se demandait rétrospectivement s'il aurait dû répondre quand l'agent immobilier l'avait interrogé sur le lieu où tu te rendais comme ça dans ta Jaguar, s'il fallait absolument l'informer que tu allais à Auxerre ou s'il aurait mieux valu s'abstenir.

J'avais terminé mes bulots. Malika n'avait pas touché à ses crudités. Je l'ai laissée reprendre son souffle et avaler quelques bouchées de céleri rémoulade. En somme, ai-je résumé, Lecoq avait eu vent qu'Annabelle et mon mari se trouvaient dans la même zone au même moment, et il avait pu en tirer parti, ou pas. Malika a opiné en piquant dans un concombre. J'ai commandé deux cafés dont un gourmand. La verrine de mousse au chocolat n'était pas mal. J'ai laissé Malika payer l'addition.

Cécile a téléphoné à la police l'après-midi même. Elle a dit qu'elle était très embarrassée de revenir vers eux si tardivement mais que quelque chose la travaillait. Il lui semblait maintenant que, le jour de la disparition, elle t'avait aperçu rentrer chez toi au moment où ses enfants arrivaient du collège, c'est-à-dire vers dix-sept heures trente, soit l'horaire où Annabelle baguenaudait dans la station Shell d'Auxerre. Comme je lui avais expliqué que tu étais cloué au lit depuis plusieurs jours, elle s'était étonnée de ta présence dans l'impasse, puis aussitôt réjouie que tu ailles mieux. Si elle n'avait pas prévenu la police plus tôt, c'est parce qu'elle avait d'abord pensé qu'il s'agissait d'un autre jour. Mais Tom, son fils, venait de lui prouver le contraire. Ce soir-là, il était rentré à la maison en tapant dans son ballon de basket tout le long du chemin, tu l'avais d'ailleurs complimenté sur son dribble avant de mettre la clé dans la serrure. Or c'était le jeudi, oui, seulement le jeudi que Tom avait basket.

30

J'aurais préféré que tu me fasses confiance. C'est vrai que j'y suis allée un peu fort sur les doses. Mais il faut me comprendre. Si j'avais, comme Cécile, Malika, Inès ou même Aude Lemoine, un mari qui part le matin gagner sa croûte et rentre le soir après un détour par l'Intermarché, je n'aurais pas eu besoin de te clouer au lit.

De toute façon, tu m'avais sentie venir, fait semblant d'avaler tes comprimés. C'était de bonne guerre. Mais ça m'ennuie que tu aies filé en douce pour voir ta mère et lui raconter je ne sais quoi, que tu te sentais un peu perdu, que tu ne savais plus où on en était, toi et moi. Ce n'était pas gentil de l'inquiéter. Si tu imagines que ça lui a fait du bien, à son âge, de voir débouler la police pour lui demander si son fils unique était venu lui rendre visite le 6 septembre, et pourquoi, et à quelle heure précisément.

Ils ont quand même fini par retrouver le petit labrador sous la terrasse des Lecoq. Toupie était enterré dans la réserve du béton qui devait servir à l'évacuation des eaux pluviales. Le chiot avait été abattu à la carabine et plongé dans la chaux pour ne pas sentir trop mauvais. Quant à l'arme, héritage du grand-père d'Arnaud, elle reposait avec lui.

C'est moche de tuer son chien. Ça l'est encore plus de s'en prendre à sa femme et à son fils. Pourtant, si Franck Lemoine avait perdu de vue Arnaud Lecoq au Mister King, entremêlé à dieu sait qui dans la moiteur interlope, d'autres messieurs ont pu attester de la constante et vigoureuse présence de l'agent immobilier dans l'établissement ce soir-là. Puis ce dernier n'est plus jamais sorti du radar de la police. Il paraît donc peu probable qu'il ait retrouvé Annabelle et Léo dieu sait où pour leur faire dieu sait quoi.

Je n'ai pas réussi à convaincre Cécile de révéler les circonstances de la mort du chat. Elle craignait les retombées pour les enfants, si bien qu'il subsistait à ton encontre plusieurs indices accablants. Mais elle m'a proposé une autre solution, qui tenait à Tom et à son ballon de basket. J'ai accepté si Malika corroborait.

Comme Youssef, celle-ci en tenait pour la prudence. Elle aussi estimait qu'il fallait songer à l'avenir avant de prendre des initiatives personnelles. Elle est cependant convenue que l'avenir sans les Lecoq de l'autre côté de la haie représentait une perspective bien plus enviable que l'inverse. Donc elle a confirmé qu'avec Cécile, elle avait aperçu Charles Caradec dans l'allée vers dix-sept heures trente. De concert, elles s'étaient réjouies qu'il ait meilleure mine, lui qui ne mettait plus le pied dehors depuis des semaines. Et oui, elle était sûre que c'était le jeudi 6 septembre parce qu'elle rentrait d'un rendez-vous à l'hôpital Tenon, or c'était précisément à cette date qu'elle s'y était rendue – on pourrait facilement vérifier auprès des médecins concernés.

Je suis certaine que tu te plairas à Gambetta. En revanche, nous ferons une croix sur la propriété privée. La location, c'est moins de tracas. Et puis nous ne pourrions plus avancer les fonds. La vente de notre maison a été annulée. Comme il s'agit d'un accident, nous finirons par récupérer notre apport initial, mais dieu sait combien de temps durera la procédure. Aussi, il fallait m'écouter quand j'ai répété sur tous les tons que ça sentait bizarre.

Avant d'injecter le gaz naturel, inodore à l'état pur, dans les réseaux de distribution, les fournisseurs d'énergie lui ajoutent du tétrahydrothiophène. Cette molécule dégage une forte odeur d'œuf pourri. Elle permet d'alerter les usagers en cas de fuite, afin qu'ils aèrent en grand et préviennent les pompiers. Mais c'est vrai qu'avec la chaleur et la poussière de ciment qui flottait constamment dans l'air, tout sentait un peu pourri.

Je suis revenue une fois à l'allée. Les soucis vibraient dans la grisaille de l'automne, impatients de renaître. Cécile a dit que c'était dommage de les abandonner. Je les ai emportés dans la Jaguar pour les installer sur le balcon de Bogaert, puis j'ai mis la bagnole en vente sur Le Bon Coin. Nous n'aurons plus les moyens de payer un parking à l'avenir.

L'accident s'est produit la nuit suivante. Seules les deux premières maisons côté impair ont été touchées. Quand la conduite de gaz a explosé, notre façade a volé en éclats. Le balcon de notre chambre s'est effondré, entraînant à sa suite le toit et une partie de celui des Lecoq. Le feu s'était propagé dans les deux maisons quand les pompiers l'ont maîtrisé, intervenant juste avant que les flammes n'atteignent la propriété des Benani. Lecoq a découvert les ruines en rentrant au beau milieu de la nuit. Va savoir s'il ne traînait pas encore au Mister King.

Patrick et Youssef se livrent déjà aux conjectures. Ils avaient passé tant d'heures à analyser le réseau de canalisations pour détecter l'origine de la panne. Comme quoi les compétences techniques ne font pas tout. Il suffit parfois d'un bon coup de pioche dans le système, et on trouve, à la Capsulerie, de nombreuses personnes disposées à exécuter ce genre de tâche pour un bon prix.

CET OUVRAGE A ÉTÉ ACHEVÉ D'IMPRIMER LE
DEUX JUIN DEUX MILLE VINGT ET UN DANS LES
ATELIERS DE NORMANDIE ROTO IMPRESSION S.A.S
A LONRAI 61250 (FRANCE)
N° D'ÉDITEUR : 6754
N° D'IMPRIMEUR : 2101693

Dépôt légal : septembre 2021

Alain Robbe-Grillet, *Les Gommes.*
Alain Robbe-Grillet, *La Jalousie.*
Alain Robbe-Grillet, *Pour un nouveau roman.*
Alain Robbe-Grillet, *Le Voyeur.*
Jean Rouaud, *Les Champs d'honneur.*
Jean Rouaud, *Des hommes illustres.*
Jean Rouaud, *Pour vos cadeaux.*
Nathalie Sarraute, *Tropismes.*
Eugène Savitzkaya, *Exquise Louise.*
Eugène Savitzkaya, *Marin mon cœur.*
Inge Scholl, *La Rose Blanche.*
Claude Simon, *L'Acacia.*
Claude Simon, *Les Géorgiques.*
Claude Simon, *L'Herbe.*
Claude Simon, *Histoire.*
Claude Simon, *La Route des Flandres.*
Claude Simon, *Le Tramway.*
Claude Simon, *Le Vent.*
Jean-Philippe Toussaint, *L'Appareil-photo.*
Jean-Philippe Toussaint, *Autoportrait (à l'étranger).*
Jean-Philippe Toussaint, *Faire l'amour.*
Jean-Philippe Toussaint, *Fuir.*
Jean-Philippe Toussaint, *La Salle de bain.*
Jean-Philippe Toussaint, *Nue.*
Jean-Philippe Toussaint, *La Télévision.*
Jean-Philippe Toussaint, *L'Urgence et la Patience.*
Jean-Philippe Toussaint, *La Vérité sur Marie.*
Tanguy Viel, *L'Absolue Perfection du crime.*
Tanguy Viel, *Article 353 du code pénal.*
Tanguy Viel, *Cinéma.*
Tanguy Viel, *La Disparition de Jim Sullivan.*
Tanguy Viel, *Insoupçonnable.*
Tanguy Viel, *Paris-Brest.*
Antoine Volodine, *Lisbonne, dernière marge.*
Antoine Volodine, *Le Port intérieur.*
Elie Wiesel, *La Nuit.*
Monique Wittig, *Les Guérillères.*
Monique Wittig, *L'Opoponax.*